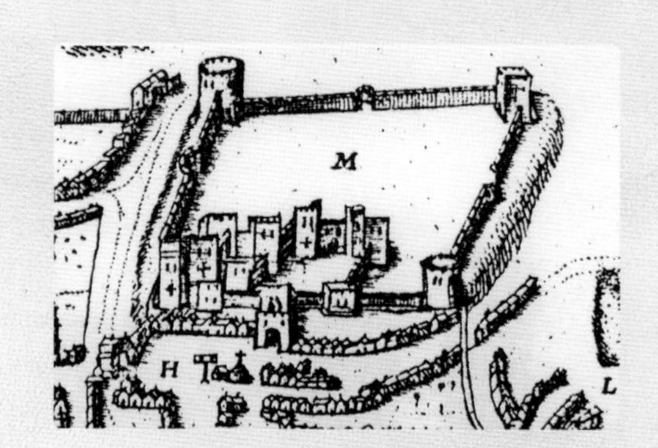

CASTELL CAERFYRDDIN

CARMARTHEN CASTLE

Testun gan Neil Ludlow.
Y darluniau a chynlluniau ail-greu gan Neil Ludlow oni ddywedir yn wahanol.
Lluniau gan Ken Day.
Cyhoeddwyd gan Cyngor Sir Caerfyrrin 2007.
Cynhyrchwyd gan Archaeoleg Cambria 2007.
Cynlluniwyd gan MO-Design.
ISBN 978-0-948262-07-4

Text by Neil Ludlow.
Reconstruction drawings and plans by Neil Ludlow unless otherwise stated.
Photographs by Ken Day.
Published by Carmarthenshire County Council 2007.
Produced by Cambria Archaeology 2007.
Design by MO-Design.
ISBN 978-0-948262-07-4

Ni all neb sy'n teithio trwy Gaerfyrddin fethu â sylwi ar Neuadd y Sir, sef y 'chateau' ffug, Ffrengig ei ysbrydoliaeth, sy'n ymddyrchafu uwchben y brif ffordd i'r gorllewin. Faint, tybed, hyd yn ddiweddar, sydd wedi dyfalu i gastell go iawn sefyll yn lle'r adeilad mawreddog hwn, cadarnle canoloesol a oedd unwaith gyda'r mwyaf yng Nghymru? Oherwydd dim ond yn y blynyddoedd diwethaf y datguddiwyd y gweddillion cynharach yn llawn trwy glirio, cloddio a chadwraeth.

Llun o'r awyr sy'n dangos gweddillion y castell, a rhan o Neuadd y Sir, o'r gogledd (Hawlfraint y Goron: Comisiwn Brenhinol Henebion Cymru)
Aerial photograph showing the remains of the castle, and part of County Hall, from the north (Crown Copyright: Royal Commission on Ancient and Historical Monuments of Wales)

Mae'r llyfryn hwn yn adrodd hanes Castell Caerfyrddin, o'i ddechreuad yn gastell gwrthglawdd a sefydlwyd i hyrwyddo ymosodiad y Normaniaid ar dde-orllewin Cymru, hyd at y gaer gerrig enfawr y mae modd gweld olion ohoni heddiw. Roedd yn bencadlys y brenhinoedd Normanaidd yn ne Cymru, ac o'r herwydd yn un o gestyll pwysicaf y wlad. Hwn oedd canolbwynt tref gaerog Caerfyrddin a ddatblygodd o'i amgylch, ac mae'n dal i fwrw ei gysgod dros dirlun y dref. Dadfeilio wnaeth y castell ar ôl y Canol Oesoedd ond fe'i defnyddiwydd yn garchar hyd y 1920au. Daeth y safle yn ganolfan weinyddol unwaith eto gyda chwalu'r carchar ym 1938 ac adeiladu Neuadd y Sir ym 1939-55, ac yn yr ystyr hon mae'r castell yn parhau i ffynnu.

Dechreuwyd ar y gwelliannau gan Gyngor Sir Dyfed ym 1993 a'u parhau o dan Gyngor Sir Caerfyrddin, gyda'r cwmni dylunio o Gymru, TACP, yn rheoli'r gwaith. Yn y cyfamser bu archeolegwyr o Archeoleg Cambria yn dilyn pob cam o'r gwaith. Ariannwyd y gwaith gan grantiau oddi wrth y ddau Gyngor Sir, ac oddi wrth Cadw, Awdurdod Datblygu Cymru, y Gymuned Ewropeaidd a Chronfa Dreftadaeth y Loteri.

Cewch archwilio'r castell ac mae'r llyfryn hwn yn cynnwys taith dywysedig o gwmpas y gweddillion. Mae'r rhain yn cynnwys porthdy enfawr â dau dŵr, sawl tŵr canoloesol arall, a gweddillion Carchar y Sir.

No traveller through Carmarthen can fail to notice County Hall, the French-inspired mock 'chateau' that commands the main road to the west. How many of them, until recently, can have guessed that beneath this grand building lay a real castle, a medieval stronghold that was once one of the largest in Wales? Because it is only in recent years that the earlier remains have been fully revealed through clearance, excavation and conservation.

This booklet tells the story of Carmarthen Castle, from its origins as an earthwork castle founded as a springboard for the Norman invasion of southwest Wales, through to the massive stone fortress whose remains can be seen today. As the headquarters of the Norman kings in south Wales, it was one of the most important castles in the country. It was the hub around which the medieval walled town of Carmarthen developed, and it still dominates the townscape. After the Middle Ages the castle became ruinous but continued to be used as a gaol until the 1920s. The site returned to being an administrative centre with the demolition of the gaol in 1938 and the construction of County Hall in 1939-55, and in this sense the castle continues to flourish.

The enhancement works were begun by Dyfed County Council in 1993 and have continued under Carmarthenshire County Council, and managed by the Welsh design company TACP. Meanwhile archaeologists from Cambria Archaeology have been following every step of the work. The programme has been funded by grants from both County Councils, and from Cadw, the Welsh Development Agency, the European Community and the Heritage Lottery Fund.

You can explore the castle and this booklet includes a guided tour to the remains. They include a massive twin-tower gatehouse, several other medieval towers, and remnants of the County Gaol.

Cynnwys

Contents

HANES

HANES MILWROL: CHWE CHANRIF O WRTHDARO

Am flynyddoedd lawer Castell Caerfyrddin oedd yr unig gastell brenhinol yng Nghymru. Mae ei hanes yn y canol oesoedd yn un â hanes brenhinoedd Lloegr a'u rhyfel parhaus bron â Thywysogion Cymru. Mae'n hanes o orchfygu, o wrthdaro ac o ymdrech rhwng ymosod ac amddiffyn. Serch hynny, mae hefyd yn hanes o lywodraethu a'r her a wynebai'r rhai oedd yn gweinyddu ardal a oedd, i' brenhinoedd Normanaidd, yn ffin ansefydlog.

Y blynyddoedd cynnar: y castell o goed

Â gwreiddiau Caerfyrddin yn ôl ymhellach na'r Canol Oesoedd gyda'r dref Rufeinig *Moridunum*, gan ei gwneud yn dref hynaf Cymru. Serch hynny, dechreua hanes y castell yn nheyrnasiad y brenin Normanaidd Harri I. Bu ymosodiad y Normaniaid ar Gymru yn gyfres o ymgyrchoedd preifat, gan farwniaid Normanaidd y tu hwnt i reolaeth y Brenin. Er mwyn gosod ei awdurdod ar y barwniaid hyn a'r Cymry fel ei gilydd, gorchmynnodd y Brenin Harri adeiladu Castell Caerfyrddin tua 1106, i fod yn droedle brenhinol yng Nghymru.

Roedd y safle a ddewiswyd yn naturiol gryf. Atgyfnerthwyd y clogwyn serth uwchben Afon Tywi a'r fan lle gellid ei chroesi, â thomen bridd uchel neu mwnt. Roedd modd hwylio'r Tywi hyd y fan hon, ac felly roedd modd cyflenwi'r castell, yn ogystal â'r dref a sefydlwyd y tu allan i'w furiau erbyn 1116, o'r môr.

HISTORY

MILITARY HISTORY: SIX CENTURIES OF CONFLICT

Carmarthen Castle was, for many years, the only royal castle in Wales. Its medieval history is the story of the kings of England and their almost continuous warfare with the Welsh Princes. It is a story of conquest, of conflict, and the struggle between attack and defence. However, it is also a story of government and the challenges facing the administration of what was, for the Norman kings, a volatile frontier zone.

The early years: the timber castle

Carmarthen has origins before the Middle Ages as the Roman *Moridunum*, making it the oldest town in Wales. However, the history of the castle begins in the reign of the Norman King Henry I. The Norman invasion of Wales had been a series of private campaigns, undertaken by Norman barons beyond the King's control. It was to assert his authority over both these barons and the Welsh that King Henry commanded Carmarthen Castle to be built, in c.1106, as a royal foothold in Wales.

The site chosen was naturally strong. The steep bluff overlooking the River Tywi, and its bridging point, was enhanced with a tall earthen mound or *motte*. The Tywi was navigable up to this point so that the castle, and also the town which had been established outside its gates by 1116, could be supplied by sea.

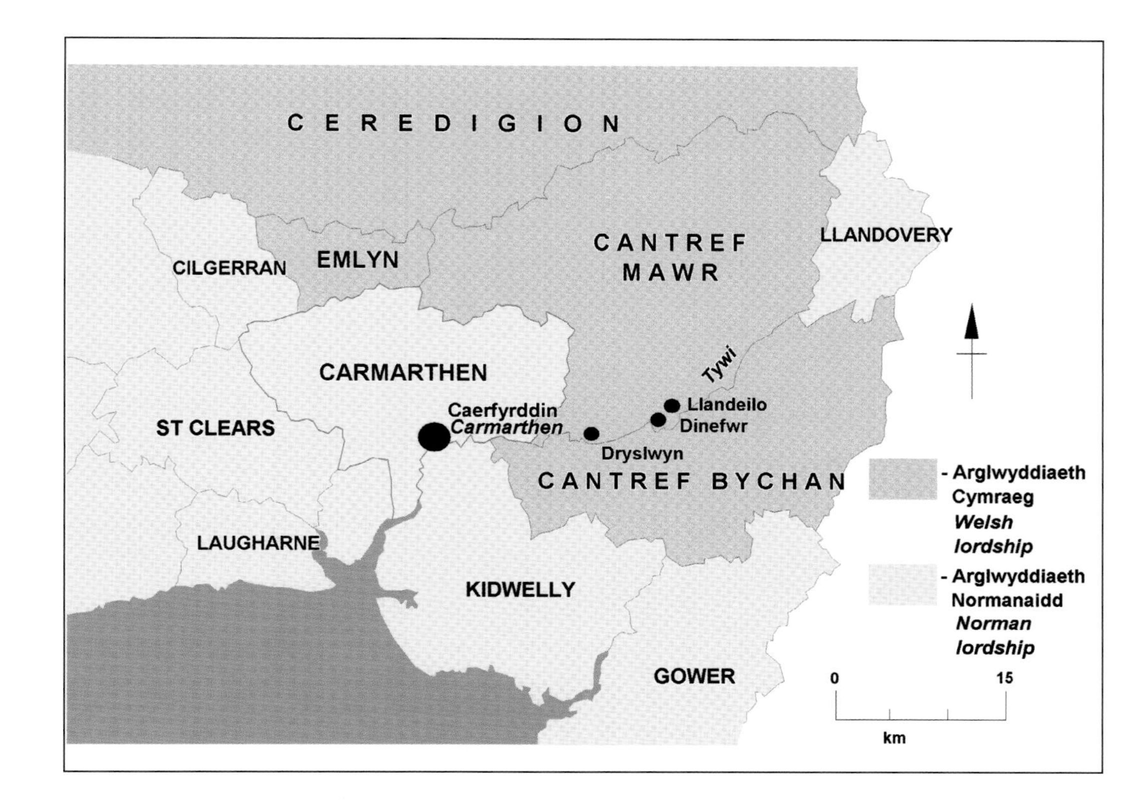

Map sy'n dangos Arglwyddiaeth Caerfyrddin, a weinyddwyd o Gastell Caerfyrddin, a thiroedd y Cymry a'r Normaniaid oddi amgylch yn y 12fed a'r 13eg ganrif

A map showing the Lordship of Carmarthen, administered from Carmarthen Castle, and the surrounding Welsh and Norman territories in the 12th and 13th centuries

Hwn oedd y ffin Normanaidd. Roedd Castell Caerfyrddin yn ganolfan er mwyn rhannu tiriogaeth y Normaniaid a phwysleisio awdurdod y Brenin. Ond roedd llawer o'r rhanbarth oddi amgylch, Ystrad Tywi fel y'i gelwid, eisoes yn nwylo llinach Gymreig rymus â'i brenhinoedd a'i thywysogion ei hun. Felly tir y gelyn ydoedd - ymosodwyd ar y castell, a wnaed o bren, yn aml gan y Cymry a'i losgi ym 1116. Eto i gyd sefydlwyd arglwyddiaeth fechan o amgylch y castell erbyn 1130.

Ymosodwyd ar y castell eto ym 1137 a'i gipio y tro hwn, a'i ddal gan y Cymry. Dychwelodd i ddwylo'r Normaniaid erbyn 1159 ond fe'i bygythiwyd fwy nag unwaith gan y tywysog grymus Rhys ap Gruffydd ('Yr Arglwydd Rhys'), o'i ganolfan yng Nghastell Dinefwr ger Llandeilo. Collodd y Normaniaid arglwyddiaeth ar ôl arglwyddiaeth i Rhys a'i fyddinoedd gydol diwedd y 12fed ganrif, a daeth yn arweinydd diymwad de-orllewin Cymru . Erbyn ei farwolaeth, ym 1197, cestyll Caerfyrddin a Phenfro yn unig a oedd yn dal i fod yn nwylo'r Normaniaid.

This was the Norman frontier. Carmarthen Castle was a base for carving out Norman territory, and asserting royal authority. But much of the surrounding region, called Ystrad Tywi, was already held by a powerful Welsh dynasty, with their own kings and princes. So it was hostile country - the castle, then of wood, was frequently attacked by the Welsh and was burnt in 1116. Nevertheless a small lordship had been established around the castle by 1130.

In 1137 the castle was again attacked and this time it was taken, and held, by the Welsh. It was back in Norman hands by 1159 but was repeatedly threatened by the powerful prince Rhys ap Gruffudd ('The Lord Rhys'), from his base at Dinefwr Castle near Llandeilo. The Normans lost lordship after lordship to Rhys and his armies through the late 12th century, and he became the acknowledged ruler of southwest Wales. By the time of his death, in 1197, only the castles at Carmarthen and Pembroke remained in Norman hands.

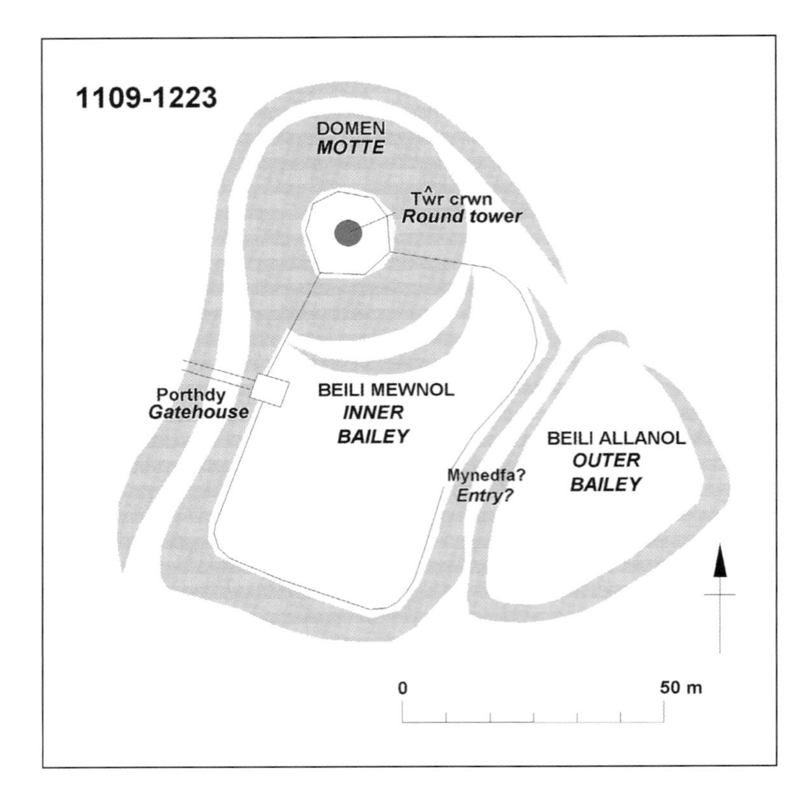

Cynllun bras o Gastell Caerfyrddin gan awgrymu sut y gallai fod wedi ymddangos rhwng oddeutu 1106 a 1230 sy'n dangos y cynllun - tomen a dau feili - a'r amddiffynfeydd coed
Sketch plan of Carmarthen Castle as it may have between c.1106 and 1230 showing the layout – a motte and two baileys – and the timber defences

Ychydig iawn a wyddom am ffurf y castell cynharaf hwn. Castell tomen a beili ydoedd, wedi ei wneud o bren, a gall fod yno ddau feili o'r cychwyn. Fe'i hailadeiladwyd ym 1145 ac unwaith eto, gan y Cymry, ym 1150, ond ym 1181-3 y cafwyd y gwariant cyntaf sydd wedi ei gofnodi pan wariodd y brenin Normanaidd Harri II y swm sylweddol ar y pryd o £170. Gall fod hyn yn arwydd o beth adeiladu â cherrig ac yn wir darganfuwyd sylfeini tŵr crwn ar y domen yn ystod gwaith cloddio yn ddiweddar. Serch hynny, cipiwyd y castell unwaith eto gan y Cymry ym 1215 a'i 'chwalu yn ulw', gan awgrymu i'w wneuthuriad fod o goed yn bennaf o hyd.

Goliwiad llawysgrif o'r 12fed ganrif sy'n dangos ymosodiad ar gastell delfrydol (Meistr a Chymrodyr Coleg Corpus Christi, Caergrawnt)
A 12th century manuscript illumination showing an attack on an idealised castle (Master & Fellows of Corpus Christi College, Cambridge)

Y 13eg ganrif: y castell cerrig

Daliodd y Cymry, wedi eu huno o dan y Tywysog Llywelyn Fawr o ogledd Cymru, eu gafael ar Gaerfyrddin hyd 1223 pan y'i cipiwyd gan yr iarll Normanaidd grymus William Marshal. Unwaith eto, daeth y castell yn ganolfan y strategaeth Normanaidd ac unwaith yn unig y'i cipiwyd eto gan y Cymry, bron i 200 mlynedd yn ddiweddarach.

Fe'i hailadeiladwyd o gerrig yn fuan wedyn. Rhoes y Brenin, Harri III, reolaeth y castell i olyniaeth o ffefrynnau brenhinol gan gynnwys yr ieirll Marshal, a Hubert de Burgh, Iarll Caint, a oedd yn gyfrifol am ddechrau'r muriau cerrig fwy na thebyg. Gall fod y muriau wedi eu cwblhau erbyn1233 pan ddechreuwyd ar fur y dref, a phan wrthsafodd y castell warchae o dri mis gan y Cymry. Sonia dogfennau diweddarach am 'bum tŵr' y beili mewnol a all fod wedi eu hadeiladu ar yr un adeg - gan gynnwys, o bosibl, Tŵr y De-orllewin sydd wedi goroesi - yn ogystal â'r gorthwr ar y domen.

Cynllun bras o Gastell Caerfyrddin fel yr ymddangosai o bosibl oddeutu 1240 gan ddangos yr amddiffynfeydd cerrig
Sketch plan of Carmarthen Castle as it may have been in c.1240 showing the stone defences

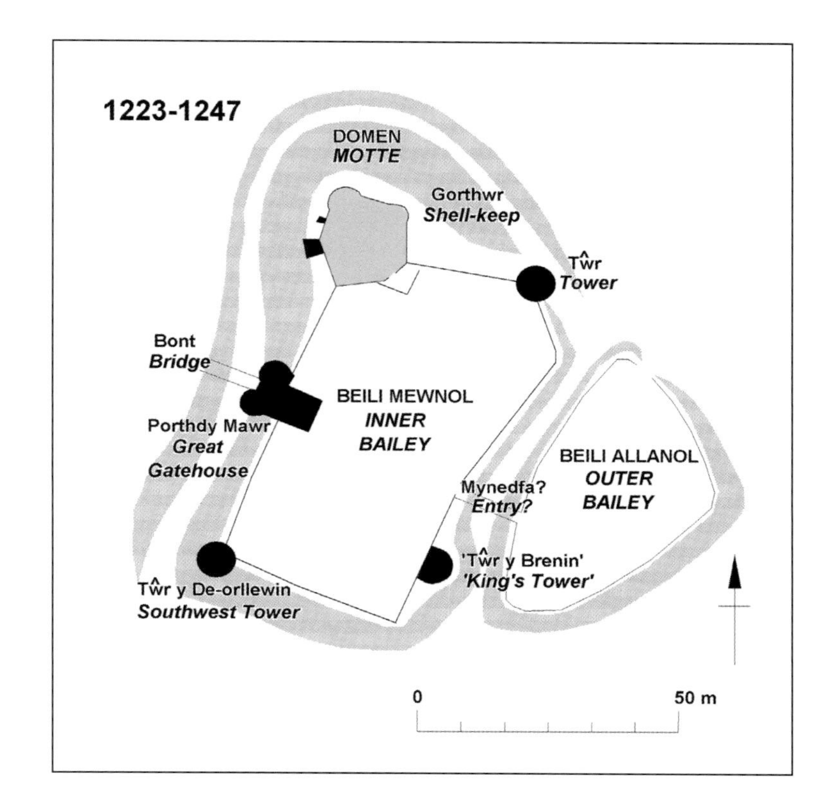

We know very little about the form of this earliest castle. It was a motte-and-bailey, was made of wood, and two baileys may been present from the first. It was rebuilt in 1145 and again, by the Welsh, in 1150, but the first recorded expenditure was in 1181-3 when the Norman king Henry II spent the then considerable sum of £170. This may indicate some building in stone and indeed the foundations of a round tower were uncovered on the motte during recent excavations. However, in 1215 the castle was again taken by the Welsh and 'razed to the ground', suggesting that it was still mainly of timber.

The 13th century: the stone castle

The Welsh, united under Prince Llywelyn 'the Great' of north Wales, held onto Carmarthen until 1223 when it was taken by the powerful Norman earl William Marshal. Once more, the castle became the centre of Norman strategy and was only once again to be taken by the Welsh, nearly 200 years later.

It was rebuilt in stone soon afterwards. The King, Henry III, had released control of the castle onto a succession of royal favourites including the Marshal earls, and Hubert de Burgh, Earl of Kent, by whom the stone walls were probably begun. The walls may have been complete by 1233 when the town wall was begun, and when the castle withstood a three-month siege by the Welsh. Later documents refer to the 'five towers' of the inner bailey which may have been built at the same time - including, possibly, the surviving Southwest Tower - as well as the 'shell-keep' on the motte.

Corffddelw William Marshal, Iarll Penfro 1219-1231. Bu'n ymgynghorwr i'r Brenin Harri III, ac roedd ganddo diroedd helaeth iawn yng Nghymru gan gynnwys, rhwng 1223 a 1226, Castell Caerfyrddin. Bu'r castell hefyd yn eiddo i'w frawd Gilbert rhwng 1234 a 1241 (Cyhoeddiadau Phoebe Phillips)
The effigy of William Marshal, Earl of Pembroke 1219-1231. An advisor to King Henry III, he held vast estates in Wales including, between 1223 and 1226, Carmarthen Castle. His brother Gilbert also held the castle between 1234 and 1241 (Phoebe Phillips Editions)

Ailfeddiannodd Harri III Gastell Caerfyrddin ym 1241 a byddai o dan awdurdod uniongyrchol y goron o hyn allan. Gorchmynnodd y Brenin adeiladu cyfres newydd fflam o ystafelloedd byw, gan gynnwys 'Neuadd y Brenin' a 'Siambr y Brenin', ac mae sôn am adeiladau teuluaidd eraill yn nogfennau'r cyfnod. Ond cododd ton newydd o wrthwynebiad Cymreig yn fuan wedyn - a fyddai'n datblygu yn ddiweddarach yn rhyfeloedd annibyniaeth aflwyddiannus. Cafwyd cyfres o ymosodiadau ar diroedd y Saeson, gan gynnwys Caerfyrddin ym 1244 a 1246 ac o dan arweinydd newydd Llywelyn ap Gruffudd, o ogledd Cymru - ŵyr Llywelyn Fawr a thywysog annibynnol olaf Cymru - daeth y rhan fwyaf o'r wlad o dan reolaeth y Cymry.

Roedd Castell Caerfyrddin wedi ei ynysu unwaith eto ynghanol tir gelyn y Normaniad. Anfonodd Harri III fyddin i'r castell ym 1257 a'i gorchymyn i adennill y tir oddi amgylch. Cyfarfuant â milwyr y Cymry, o dan arweiniad Maredudd, ŵyr yr Arglwydd Rhys, yng Nghoed Llathen ger Llandeilo. Y canlyniad oedd trechu'r Saeson yn llwyr, collasant 2000 o ddynion gan gynnwys eu harweinydd Stephen Bauzan. Cafodd hyn effaith pellgyrhaeddol. Cydnabuwyd Llywelyn yn Dywysog Cymry ac er i Gaerfyrddin aros yn nwylo'r Brenin, cadwyd gafael y Cymry ar y wlad oddi amgylch.

Henry III reclaimed Carmarthen Castle in 1241 and from now on direct royal control would be maintained. On his orders, a brand-new suite of residential lodgings were built, including the 'King's Hall' and the 'King's Chamber', and further domestic buildings are mentioned in documents of the time. But a new wave of Welsh resistance - which would develop into the ultimately unsuccessful wars of independence - began soon afterwards. A series of raids on English territories included attacks on Carmarthen in 1244 and 1246 and, under a new leader Llywelyn ap Gruffudd, of north Wales – grandson of Llywelyn the Great and the last independent prince of Wales – most of the country was brought under Welsh control.

Carmarthen Castle again found itself an isolated outpost within hostile territory. Henry III sent an army to the castle in 1257 with orders to regain the surrounding territory. They met the Welsh force, led by Maredudd, grandson of the Lord Rhys, at Coed Llathen near Llandeilo. The result was a crushing defeat for the English, who lost more than 2000 men including their leader Stephen Bauzan. The impact was far-reaching. Llywelyn was recognised as Prince of Wales and though Carmarthen remained in the King's hands, the Welsh grip on the surrounding country was maintained.

Safle Brwydr Coed Llathen. Mae llonyddwch yr olygfa hon yn celu'r hyn a ddigwyddodd ar 2 Mehefin, 1257 – mae enwau'r caeau oddi amgylch yn cynnwys Cae Tranc, Cae Dial, Cae Ochain a Chongl y Waedd.

The site of the Battle of Coed Llathen. The tranquility of this scene hides the reality of June 2, 1257 – surrounding field names include the Field of Death, the Field of Vengeance, the Field of Groans and the Place of Shouting.

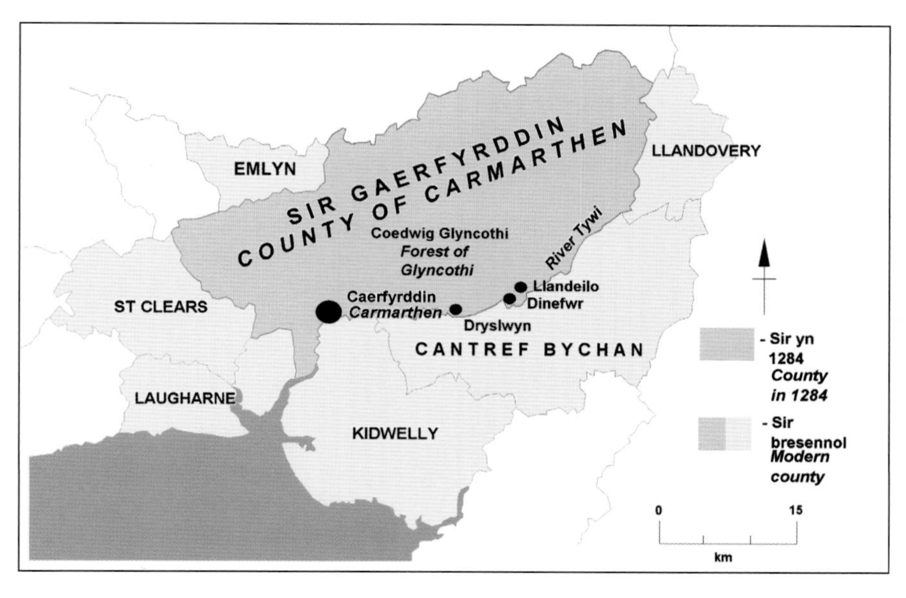

Chwith: Mae'r gorliwiad hwn o lawysgrif o'r 13eg ganrif sy'n dangos y Brenin Edward I gyda San Siôr, yn rhoi rhyw syniad o'r modd yr oedd ei ddilynwyr yn edrych arno. Roedd ei deyrnasiad yn un o ryfela parhaus mwy neu lai â'r Cymry, y Ffrancod a'r Albanwyr – a chychwyn hunaniaeth genedlaethol (Llyfrgell y Bodleian, Rhydychen)
De: Sir Gaerfyrddin fel yr oedd yn 1284. Roedd yn llai o lawer na'r sir bresennol.
Left: This 13th century manuscript illumination showing King Edward I with St George gives some idea of how he was seen by his followers. His reign was marked by almost continuous warfare against the Welsh, the French and the Scots - and the beginnings of national identities (Bodleian Library, Oxford)
Right: The County of Carmarthenshire, as it was made up in 1284. It was much smaller than the present-day county.

Coronwyd brenin newydd Lloegr, Edward I, ym 1272. Roedd yn unben wrth reddf, a go brin y gallai ymfodloni ar y sefyllfa fel yr oedd hi yn hir iawn. Dechreuodd ymosodiad triphlyg ar Lywelyn yn 1276-77, a'r ymgyrch yn ne Cymru yn cael ei gyrru o Gastell Caerfyrddin. Llwyddodd yr ymgyrch - daeth de-orllewin Cymru o dan reolaeth y Saeson a gwanhau grym Llywelyn yn ddifrifol. Yn ystod 'Ail Ryfel Annibyniaeth' 1282-3 roedd Caerfyrddin unwaith eto yn bencadlys i fyddinoedd y Saeson yn ne Cymru. O dan arweiniad is-gapten y Brenin, Robert Tibetot, symudodd lluoedd y goron i fyny Dyffryn Tywi ond cawsant eu trechu unwaith eto ger Llandeilo. Serch hynny, lladdwyd Llywelyn yn fuan wedyn, yng Nghilmeri yng nghanolbarth Cymru, a chwalodd gwrthwynebiad y Cymry.

Cafodd hyn effaith drychinebus ar y llinach Gymreig leol a oedd wedi llwyddo, o dan arweinwyr fel yr Arglwydd Rhys a'i ŵyr Maredudd, i ddal eu gafael ar eu tiroedd a'u grym am bron i 200 mlynedd. Syrthiodd y rhanbarth cyfan i ddwylo'r Brenin Edward. Aildrefnwyd hi bellach ar ddull Seisnig, yn sir - Sir Gaerfyrddin - a weinyddwyd o Gastell Caerfyrddin.

A new king of England, Edward I, was crowned in 1272. An autocrat, it was not in his nature to tolerate such a situation for long. He launched a three-pronged attack on Llywelyn in 1276-77, the campaign in south Wales being waged from Carmarthen Castle. It was successful - southwest Wales was brought under English control and Llywelyn's power was seriously weakened. The 'Second War of Independence' of 1282-3 again saw Carmarthen as the HQ of the English armies in south Wales. Led by the King's lieutenant Robert Tibetot, the royal forces moved up the Tywi Valley but suffered another defeat near Llandeilo. However Llywelyn was killed shortly afterwards, at Cilmeri in mid Wales, and Welsh resistance collapsed.

The effect was catastrophic for the local Welsh dynasty which, under leaders like the Lord Rhys and his grandson Maredudd, had successfully held on to its lands and power for nearly 200 years. The entire region fell into King Edward's hands. It was from now on reorganised along English lines, as a county – Carmarthenshire – administered from Carmarthen Castle.

Canolfan lywodraethol

O dan y brenhinoedd Normanaidd a Seisnig, roedd Castell Caerfyrddin yn ganolfan ar gyfer llywodraethu, gorfodi cyfraith a gweinyddu materion economaidd. Er bod Arglwyddiaeth Caerfyrddin, yr oedd yn ganolbwynt iddi, yn eithaf bach, roedd llawer o'r arglwyddiaethau Normanaidd oddi amgylch o dan awdurdod ei llysoedd. Amddiffynwyd awdurdod y goron yn y rhanbarth gan warcheidwad, a benodwyd gan y brenin, ac a drigai yn y castell.

Pan drechodd Edward I y Tywysog Llywelyn 'ein Llyw Olaf' ym 1283 gwnaeth Gastell Caerfyrddin yn ganolbwynt llywodraethol i dde Cymru yn gyfan - fel yr oedd Castell Caernarfon i ogledd Cymru. Penodwyd Prifustus preswyl, yn ddirprwy i'r brenin, tra bo'r gweinyddu ariannol yn gyfrifoldeb i'r Siambrlen, a'i drysorlys yn y castell. Roedd materion milwrol yn nwylo'r 'Cwnstabl', a oedd yn byw yn y castell. Ym 1284, daeth y castell hefyd yn ganolfan sir newydd - Sir Gaerfyrddin - wedi ei llunio o hen Arglwyddiaeth Caerfyrddin a'r tiroedd Cymreig a orchfygwyd oddi amgylch. Penodwyd swyddog arall eto, sef y siryf, i ofalu am y gweinyddu. A bu'r castell yn garchar erioed.

Hannai'r Prifustusiaid cynnar, fel Robert Tibetot, o gefndir milwrol fel arfer, ac roedd llawer ohonynt yn gyfrwydd â brwydro dan Edward I. Daeth y swydd yn wobr am deyrngarwch gwasanaeth yn ddiweddarach, neu weithiau yn rhodd i rai o ffefrynnau arbennig y goron fel Roger Mortimer, a droes yn erbyn ei feistr Edward II yn ddiweddarach a'i lofruddio yn y pen draw. Felly cynyddodd pwysigrwydd y dirprwyon a daethai rhai o'r rhain o deuluoedd Cymreig lleol - arwydd bod y tyndra'n gostegu yn ystod y 14eg ganrif. Deuai'r Siambrleniaid o blith clercod teulu'r brenin, neu roeddent yn ddynion pwysig lleol, fel Prior Caerfyrddin.

Daeth pwysigrwydd y castell i ben gyda Deddf Uno Harri VIII ym 1536, a osododd Gymru o dan reolaeth llywodraeth San Steffan. Peidiodd â bod yn ganolfan weinyddol, er i lysoedd lleol gael eu cynnal yno o hyd am ryw ganrif. Daeth y castell unwaith eto i amlygrwydd fel carchar.

Peirianwaith y wladwriaeth - amddiffynnydd yn plygu gerbron llys yn y canol oesoedd (Y Llyfrgell Brydeinig)
The machinery of state - a defendant kneels before a medieval court (British Library)

A centre of government

Under the Norman and English kings, Carmarthen Castle was a centre of government, law enforcement and economic administration. Although the Lordship of Carmarthen, of which it was the centre, was quite small, many of the surrounding Norman lordships were also subject to its courts. Royal authority in the region was maintained by a custodian, appointed by the king, based at the castle.

When Edward I defeated Prince Llywelyn 'the Last' in 1283 he made Carmarthen Castle the centre of government of the whole of south Wales - as Caernarfon Castle was to north Wales. A resident 'Justiciar' was appointed, as the king's deputy, whilst financial administration was undertaken by a Chamberlain, whose exchequer was at the castle. Military matters were in the hands of the 'Constable', based at the castle. In 1284, the castle also became the centre of a new county - Carmarthenshire – made up of the old Lordship of Carmarthen and the surrounding conquered Welsh territories. Yet another official, the sheriff, was appointed to deal with its administration. And the castle had always been a gaol.

The early Justiciars, like Robert Tibetot, were usually military men themselves, many of them seasoned campaigners under Edward I. The post later came to be a reward for loyal service, or sometimes a grant to particular royal favourites such as Roger Mortimer, who later turned on – and eventually murdered - his master Edward II. So deputies became increasingly important and some of them were from local Welsh families – a sign of easing tensions during the 14th century. Chamberlains were drawn from clerks in the king's household, or were local dignitaries like the Prior of Carmarthen.

The castle's importance came to an end with Henry VIII's Act of Union of 1536, which brought Wales under the control of the Westminster government. It ceased to be an administrative centre, although local courts continued to be held for a century or so. It was as a gaol that the castle once again came to prominence.

Arfbais Robert Tibetot, Prifustus de a gorllewin Cymru, 1281-1298. Daeth Tibetot o Wasgwyn, rhanbarth yn ne-orllewin Ffrainc a oedd ym meddiant y Saeson. Roedd yn gydymaith i Edward I ers amser maith, ac aethant ar groesgad 1270-1272 gyda'i gilydd
The arms of Robert Tibetot, Justiciar of south and west Wales, 1281-1298. Tibetot was from Gascony, the English-held region of southwest France. He was a long-standing companion of King Edward I, whom he had accompanied on the crusade of 1270-1272

Cynllun bras o Gastell Caerfyrddin fel y mae'n bosibl iddo ymddangos yn gynnar yn y 1300au gan ddangos yr adeiladau teuluaidd a gweinyddol
Sketch plan of Carmarthen Castle as it may have been in the early 1300s showing the domestic and administrative buildings

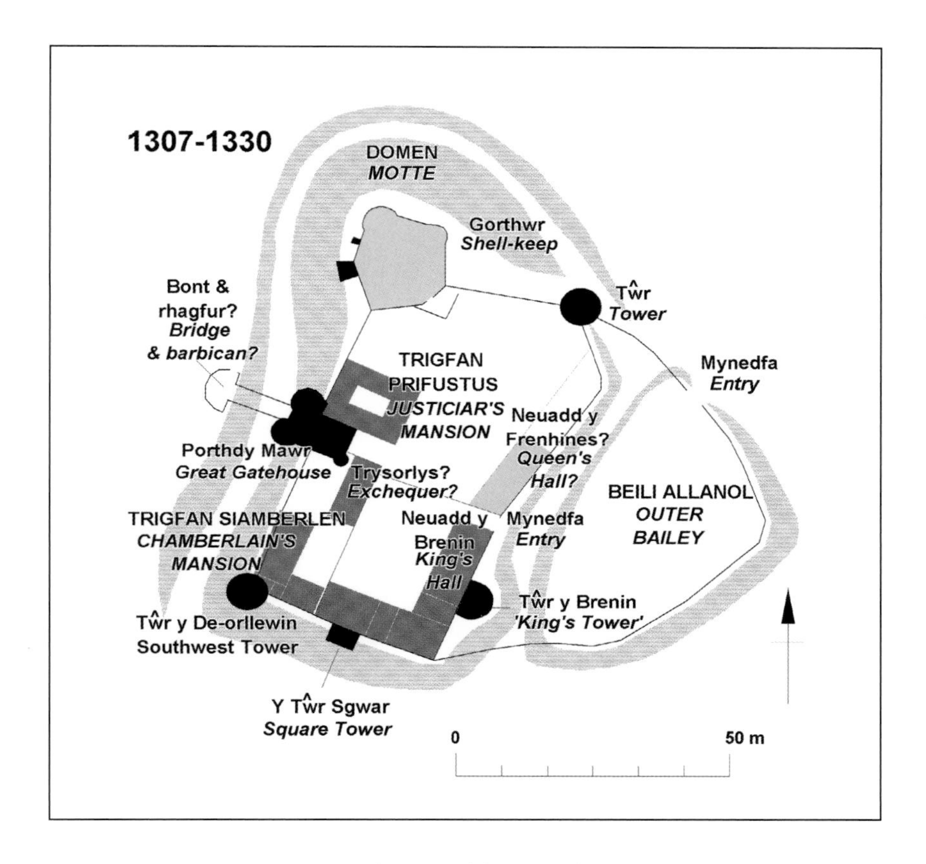

Trechwyd un gwrthsafiad olaf gan dywysog lleol o'r castell dim ond ychydig flynyddoedd yn ddiweddarach, ym 1287. Gadawyd i fab Maredudd ap Rhys, Rhys arall, ddal ei afael ar Gastell y Dryslwyn gerllaw, ond roedd wedi ei ddarostwng i reolaeth ddidostur Robert Tibetot, a oedd erbyn hyn yn Brifustus neu ddirprwy'r Brenin yng Nghastell Caerfyrddin. Gwrthryfelodd Rhys ac ymosod ar Gaerfyrddin, a'i 'losgi hyd y pyrth', ond methodd â chipio'r castell. Buan y talwyd y pwyth yn ôl. Ymgasglodd llu enfawr, o bob cwr o Loegr a Chymru, yng Nghaerfyrddin i osod Castell y Dryslwyn dan warchae. Daliwyd Rhys a'i ddienyddu yn y pen draw - ef oedd tywysog olaf de-orllewin Cymru.

One last stand by a local prince was put down from the castle just a few years later, in 1287. Maredudd ap Rhys' son, another Rhys, had been permitted to keep possession of the nearby Dryslwyn Castle, but was subject to the ruthless control of Robert Tibetot, now the King's 'Justiciar' or deputy at Carmarthen Castle. Rising in revolt, Rhys attacked Carmarthen, 'burning it to the gates', but he failed to take the castle. Reprisal was swift. A huge force, drawn from all over England and Wales, gathered at Carmarthen to besiege Dryslwyn Castle. Rhys was eventually captured and executed – the last prince of southwest Wales.

Amodau byw

Roedd angen llu o weision, cogyddion, seiri maen, seiri coed, ystafellweision a staff arall er mwyn cynnal swyddogion y llywodraeth yn y castell, ynghyd â'u teuluoedd, eu dirprwyon, beilïod a chlercod. Ac er na wyddom faint o bobl oedd yn byw yn y castell ar unrhyw adeg benodol, gwyddom i hyn gynnwys nifer helaeth o wragedd a phlant. Yn ogystal, ar adeg o fygythiad, roedd garsiwn o filwyr yn y castell. Roedd gofyn cael llety i'r holl bobl hyn.

Bywyd cymunedol yn y bôn oedd bywyd y castell, ac, yn y blynyddoedd cynnar, byddai pawb yn bwyta, yfed a chysgu yn y Neuadd Fawr - 'Neuadd y Brenin' chwedl y dogfennau. Serch hynny, daeth preifatrwydd yn fwy o beth wrth i'r Canol Oesoedd fynd yn eu blaen - ystafell breifat i ymneilltuo iddi oedd 'Siambr y Brenin' y mae cyfeiriad ati ym 1250. Roedd ymweliadau brenhinol yn ddigwyddiadau prin, ond roedd rhaid eu cynnal mewn modd a oedd yn gweddu i frenin canoloesol, ac roedd siambrau preifat tebyg i hon yn symbolau o rwysg y goron. Oherwydd gofynion gosgordd y brenin, ychwanegwyd neuadd a siambr ar gyfer y marchogion a'r rhai oedd yn gweini arnynt hefyd erbyn dechrau'r 14eg ganrif. Adeiladwyd siambr ar gyfer y frenhines hefyd, ond gall ystafell ymneilltuo ar gyfer y gwragedd fod wedi bod yn nodwedd gynnar.

Roedd gan y Prifustus a'r Siambrlen eu priod drigfannau yn y castell, gyda chegin ac ystablau ym mhob un. Ymddengys i'r cwnstabl fyw mewn siambrau uwchben y porthdy, yn unol ag arfer y cyfnod. Cyfeiria ffynonellau diweddarach hefyd at y fath gasgliad o adeiladau fel 'tŷ'r Gofalydd' a 'siambr Jenkin Maredudd'.

Mae'n rhaid i'r castell fod wedi bod yn lle anhygoel o boblog, swnllyd a phrysur. Ac roedd y gwaith adeiladu yn mynd yn ei flaen bron yn ddi-dor. Ochr yn ochr â'r rhwydwaith dryslyd o adeiladau preswyl roedd prif adran yr ystablau, mwy o geginau, arfdy, popty, selerau gwin, gweithdai seiri coed a maen, ac adeiladau llai eraill. Yn ogystal, roedd o leiaf ddau gapel. Go brin bod yna fawr o le agored yn y castell.

Roedd bywyd y castell yn troi o gwmpas y Neuadd Fawr (Y Llyfrgell Brydeinig)
Castle life centred around the Great Hall (British Library)

Living conditions

The government officials at the castle, and their households, deputies, bailiffs and clerks, were supported by an army of servants, cooks, masons, carpenters, grooms and other staff. And while we don't know how many people lived at the castle at any one time, we do know that they would have included a large number of women and children. In addition, during times of threat, the castle was garrisoned with soldiers. All these people needed accommodation.

Castle life was essentially communal and, in the early years, everyone ate, drank and slept in the Great Hall – the 'King's Hall' of the documents. However, privacy became an increasing concern as the Middle Ages progressed - the 'King's Chamber' mentioned in 1250 was a private retiring room. Royal visits were rare, but had to be provided for in a manner suiting a medieval king, and private chambers like this were symbols of royal prestige. The demands of the royal entourage also led, by the early 14th century, to the addition of a hall and chamber for the knights and their attendants. A chamber for the queen had also been built, but a separate retiring room for the ladies may have been an early feature.

The Justiciar and Chamberlain had their own mansions within the castle, each with a kitchen and stables. The constable appears, as was usual, to have occupied chambers over the gatehouse. Later sources also refer to such assorted buildings as 'the Janitor's house' and 'the chamber of Jenkin Maredudd'.

The castle would have been an incredibly congested, noisy, busy place. And building went on almost continually. Alongside the maze of residential buildings were the main stable block, further kitchens, an armoury, a bakehouse, wine cellars, carpenters' and masons' workshops, and other lesser buildings. In addition there were at least two chapels. There can have been very little open space inside the castle.

Anaml y byddai brenhinoedd yn ymweld â'u castell yng Nghaerfyrddin, ond arhosodd Edward I sawl gwaith. Mae'r llun yn dangos y Brenin Rhisiart II a arhosodd yn y castell ar ei ffordd yn ôl ac ymlaen i Iwerddon, ychydig cyn ei ddisodli ym 1399 (Deon a Chabidwl Abaty Westminster)
Kings rarely visited their castle at Carmarthen but Edward I stayed on a number of occasions. The picture shows King Richard II who also stayed at the castle on his way to and from Ireland, shortly before his deposition in 1399 (Dean & Chapter of Westminster Abbey)

Y 14eg – 17eg ganrif: Rhyfel a llywodraeth

Dewisodd Edward I hefyd Gastell Caerfyrddin yn ganolfan i'w lywodraeth dros gyfanrwydd de Cymru ac, yn sgil un ymweliad, rhoes gychwyn ar ymgyrch adeiladu enfawr. Roedd angen adeiladau newydd ar gyfer peirianwaith y llywodraeth gan gynnwys ystafelloedd y llys a swyddfeydd ar gyfer dirprwyon y brenin, ceginau newydd i'w bwydo, ac ystablau ar gyfer eu ceffylau. Mae'n bosibl i'r beili allanol - man y byddai mwy a mwy o ddefnydd arno - dderbyn mur o gerrig yn ystod y cyfnod hwn.

Gyda goresgyn Cymru daeth heddwch cymharol i'r rhanbarth a swyddogaeth weinyddol oedd i'r castell yn bennaf o hyn allan. Yn ystod y 50 mlynedd nesaf, roedd pwyslais teuluaidd i'r gwaith adeiladu at ei gilydd, ond ychwanegwyd pont newydd gyda rhagfur i'r porthdy erbyn 1317 a pharhaodd y gwaith o atgyfnerthu gydol y 14eg ganrif. Ailadeiladwyd rhai muriau - yn enwedig mur llen y de, a fyddai'n dueddol o gwympo - ac ychwanegwyd porthdy newydd a thyredau at y beili allanol.

Newidiasai'r olygfa o ben y castell hefyd. Roedd y dref wedi lledu ymhell y tu hwnt i furiau'r dref a adeiladwyd yn ystod y 1230au. Erbyn hyn, roedd maestrefi yn ymestyn i fyny Heol Awst, i'r gorllewin - lle'r oedd Edward I wedi sefydlu Mynachlog Ffransisgaidd - ac ar hyd Heol y Brenin a Heol Spilman i'r gogledd-ddwyrain.

Mae'n bosibl i ychydig o'r gwaith ar y castell fod yn ymateb i'r ofnau ynghylch ymosodiad Ffrengig a godwyd sawl gwaith yn ystod y Rhyfel Can Mlynedd, yn enwedig ym 1338, 1359, 1367 ac eto ym 1385 pan osodwyd garswn ac arfau yng Nghastell Caerfyrddin, fel yn y rhan fwyaf o gestyll Prydain. Ni wireddwyd y bygythiad o ymosodiad, ond daeth y castell yn ganolfan i fyddinoedd y goron yn Ne Cymru unwaith eto yn ystod gwrthryfel mawr olaf y Cymry, o dan yr arweinydd carismataidd Owain Glyn Dŵr.

The 14th - 17th centuries: War and government

Edward I also chose Carmarthen Castle as his centre for the government of the whole of south Wales and, following a visit, initiated a massive building campaign. New buildings were needed for the machinery of government including courthouses and offices for the king's deputies, new kitchens to feed them, and stables for their horses. The outer bailey - a space which would have been increasingly used - may also have been walled in stone at this period.

A conquered Wales brought comparative peace to the region and the castle's role was from now on mainly administrative. Over the next 50 years, building work was mainly domestic but a new bridge to the gatehouse, with a 'barbican', had been added by 1317 and strengthening works continued through the 14th century. Some walls were rebuilt - notably the south curtain wall, which proved prone to collapse – while a new gatehouse and turrets were added to the outer bailey.

The view from the castle had changed too. The town had spread far beyond the town walls built during the 1230s. Suburbs now extended up Lammas Street, to the west – where a Franciscan Friary had been established by Edward I – and along King and Spilman Streets to the northeast.

Some work at the castle may have been in response to the French invasion scares that occurred several times during the Hundred Years' War, notably in 1338, 1359, 1367 and again in 1385 when, like most British castles, Carmarthen was garrisoned and munitioned. The threatened invasion never came, but the castle once again became the base for royal armies in south Wales during the last great rebellion of the Welsh, under the charismatic leader Owain Glyn Dŵr.

Cerflun modern o Owain Glyn Dŵr, yn Neuadd y Ddinas Caerdydd (Cyngor Dinas Caerdydd)
A modern statue of Owain Glyn Dŵr, in Cardiff City Hall (Cardiff City Council)

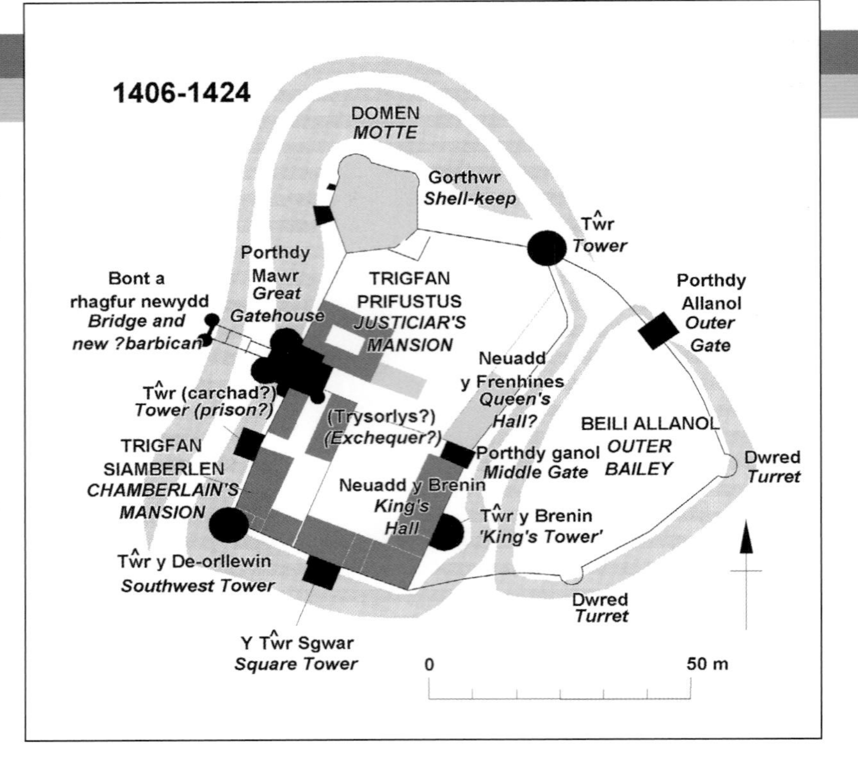

Cynllun bras o Gastell Caerfyrddin fel y mae'n bosibl iddo ymddangos yn anterth ei ddatblygiad, tua 1430
Sketch plan of Carmarthen Castle at it may have been at its fullest extent, c.1430

Mewn ymgyrch genedlaethol, ymosododd Glyn Dŵr ar dde Cymru ym 1403. Ildiodd Castell Caerfyrddin, ond dim ond ar ôl llosgi'r dref. Ailgipiwyd y castell ddeufis yn ddiweddarach wedi i'r Brenin Harri IV gyrraedd yno ei hun. Mae'r dogfennau'n sôn am y garsiwn a adawodd ar ei ôl, a oedd yn cynnwys ar gyfartaledd 300 milwr, gan gynnwys mab Geoffrey Chaucer, Thomas. Erbyn 1405 roedd y Ffrancod, a oedd yn dal i ryfela â Lloegr, wedi ymuno ag achos Glyn Dŵr ac ymosododd llu cymysg o 10,000 o Gymry a Ffrancod ar Gastell Caerfyrddin, a gwneud iddo ildio'r eilwaith. Fe'i daliwyd am bron i flwyddyn. Ofer fu gwrthryfel Glyn Dŵr yn y pen draw, ac roedd wedi tawelu erbyn 1408. Serch hynny, yn sgil hyn estynnwyd muriau tref Caerfyrddin, gan fod llawer o adeiladau wedi eu llosgi'n ulw, ac ailadeiladwyd porthdy'r castell a oedd wedi ei ddinistrio.

Gwelodd y castell wrthdaro unwaith eto yn ystod y Rhyfel Cartref, rhwng y Brenin Siarl I a'r Senedd, ym 1642-45. Fe'i cipiwyd gan y Senedd, yn ddiwrthwynebiad, ym 1644, ond adenillwyd ef yn fuan, a gall iddo gael ei atgyfnerthu. Codwyd gwrthglawdd ychwanegol o amgylch y dref, a'r rhan ohono sydd wedi goroesi - y 'Bulwarks' - yw'r unig amddiffynfa o'i bath sy'n dal i fodoli ym Mhrydain. Beth bynnag, wedi gorchfygu'r brenin ym 1645 ildiodd y castell i'r Senedd ac mae'n debyg iddo gael ei 'fychanu', neu ei ddinistrio, ar orchymyn Oliver Cromwell - ym 1660 dywedwyd ei fod 'wedi ei ddymchwel yn llwyr'.

In a nationwide campaign, Glyn Dŵr fell upon south Wales in 1403. Carmarthen Castle surrendered but only after the town had been burnt. The castle was recaptured two months later after King Henry IV arrived in person. The documents record the garrisons that he left behind, which averaged 300 soldiers, including Geoffrey Chaucer's son Thomas. By 1405 the French, still at war with England, had joined Glyn Dŵr's cause and a combined Welsh and French force of 10,000 marched on Carmarthen Castle, receiving its surrender for a second time. It was held for nearly a year. Glyn Dŵr's rebellion was ultimately unsuccessful and had died down by 1408. However, in the aftermath the town walls at Carmarthen were extended, many buildings having been burnt to the ground, and the castle gatehouse, which had been destroyed, was rebuilt.

The castle found itself back in action during the Civil War, between King Charles I and Parliament, of 1642-45. It was taken by Parliament, without resistance, in 1644, but was soon recaptured and may have been strengthened. An additional earthwork rampart was also thrown around the town, part of which - 'The Bulwarks' – is the only surviving defence of this type in Britain. However, on the defeat of the king in 1645 the castle surrendered to Parliament and appears to have been 'slighted', or destroyed, on the orders of Oliver Cromwell – in 1660 it was reported as 'quite demolished'.

Mae'r gorliwiad llawysgrif hwn o warchae, o oddeutu 1400, yn dangos fel y bu i ddulliau ymosod ddatblygu yn ystod y Canol Oesoedd. Mae'r milwyr ar y chwith yn defnyddio arfau tanio (Y Llyfrgell Brydeinig)
This manuscript illumination of a siege, from c.1400, shows how methods of attack had developed during the Middle Ages. The soldiers on the left are using firearms (British Library)

Y castell yn y tirlun

Safai Castell Caerfyrddin yn uchel uwchben y dref Normanaidd y rhoddodd fodolaeth iddi. Tarddodd y dref o'r twr o fasnachwyr a chrefftwyr a ymsefydlodd wrth ei phyrth am ddiogelwch, gyda hwb derbyn trwyddedau i farchnata. Y castell oedd canolbwynt cynllun yr hewlydd a'r amddiffynfeydd.

Safai'r castell yn uchel uwchben y tirlun oddi amgylch hefyd. Dyma nid yn unig adeilad mwyaf a mwyaf gweladwy'r ardal, ond yr un pwysicaf i'r boblogaeth leol, a'r un mwyaf ei ddylanwad arnynt. Roedd y carchar diweddarach yntau yn adeilad amlwg, oherwydd ei nodweddion gweledol trawiadol yn ogystal â'i swyddogaeth.

Dylanwadodd y castell mewn ffyrdd mwy uniongyrchol ar y tirlun. Roedd angen bwydo'r holl gwmni niferus a oedd yn byw yno, ac i'r perwyl hwn neilltuwyd maenor Llanllwch, 2 gilomedr i'r gorllewin i Gaerfyrddin i ddarparu grawn a chynnyrch amaethyddol i'r castell. Fe'i ffermiwyd yn unol â'r drefn Normanaidd - byddai ei gaeau 'agored' wedi bod yn wahanol iawn i'r caeau bach a nodweddai'r ardal fel arall. Yma hefyd y cafwyd y melinau lle câi'r gwenith ei falu a'r ysguboriau mawr lle y'i cedwid. Roedd yn ofynnol ar denantiaid Cymreig Arglwyddiaeth Caerfyrddin gyflenwi bwyd i'r castell hefyd, a derbyniai 'pantri'r Arglwydd' yn y castell deyrnged flynyddol o ddwy fuwch ar bymtheg.

Ond roedd Castell Caerfyrddin bob amser yn ddibynnol ar gyflenwadau o'r môr, yn enwedig ar adeg o ryfel pan dorrid y cysylltiadau â Llanllwch. Dengys y cofnodion i drigolion y castell fwynhau mesurau enfawr o win Ffrengig. O'r môr y deuai yn bennaf, ddeunyddiau adeiladu fel plwm a haearn hefyd, ac er i gerrig yr adeiladwyr ddeillio o chwareli lleol, cludwyd y rhain hefyd ar hyd yr afon i'r cei.

Dadlwythwyd coed hefyd ar y cei. O'r 13eg ganrif ymlaen, cyflenwyd hyn gan goedwigoedd trwchus Dyffrynoedd Tywi a Chothi, a fu gynt yn eiddo i'r Cymry. Byddai'n bosibl cwympo hectarau lawer o'r goedlan hon ar gyfer ymgyrch adeiladu fawr yn y castell tra bo mesur helaeth wedi ei gwympglirio yn fwriadol ym 1283-84 am resymau diogelwch.

Cywain y cynhaeaf. Cynnyrch Maenor Llanllwch oedd yn bwydo trigolion Castell Caerfyrddin (Musée Condé, Chantilly)
Bringing in the harvest. The produce of the Manor of Llanllwch fed the household of Carmarthen Castle (Musée Condé, Chantilly)

The castle in the landscape

Carmarthen Castle dominated the Norman town and was the reason for its being. The town's origins lie in the huddle of merchants and artisans who settled at its gates for security, encouraged by licenses to trade. The castle formed the hub of its street plan and defences.

The castle also dominated the surrounding landscape. It was not only the area's largest and most visible building, but was also the one with the most importance to - and influence upon - the local population. The later gaol was similarly dominant, both as an imposing visual feature and through its function.

The castle influenced the landscape in more direct ways. Its teeming household all required feeding, and to this end the manor of Llanllwch, 2 kilometres west of Carmarthen, was set aside to supply the castle with grain and agricultural produce. It was farmed according to Norman systems - its 'open' fields would have been very different from the small paddocks otherwise characteristic of the area. Here too were the mills in which the corn was ground, and the great barns in which it was stored. The Welsh tenants of the Lordship of Carmarthen were also obliged to provide the castle with food, the 'lord's larder' in the castle receiving an annual tribute of seventeen cows.

But Carmarthen Castle was always dependent on supply by sea, especially in time of war when communications with Llanllwch were severed. Records show that huge quantities of French wine were enjoyed by the household. Building materials like lead and iron also came by sea, and while building stone was mainly from local quarries this too was brought up the river to the quay.

Timber was also unloaded at the quay. This was, from the late 13th century onwards, supplied by the dense forests of the Tywi and Cothi Valleys, which had previously belonged to the Welsh. Many hectares of this woodland could be felled in a major building campaign at the castle while a large area had deliberately been clear-felled in 1283-84 as a security measure.

Argraff artist o Gastell Caerfyrddin a'r dref o'r de-orllewin, fel y gall fod iddynt ymddangos tua chanol y 15fed ganrif (Darlun gan Neil Ludlow; wedi ei atgynhyrchu trwy ganiatâd caredig Gwasanaeth Amgueddfa Sir Gaerfyrddin)
An artist's impression of Carmarthen Castle and town from the southwest, as they may have appeared around the middle of the 15th century (Drawing by Neil Ludlow; reproduced by kind permission of the Carmarthenshire County Museum Service)

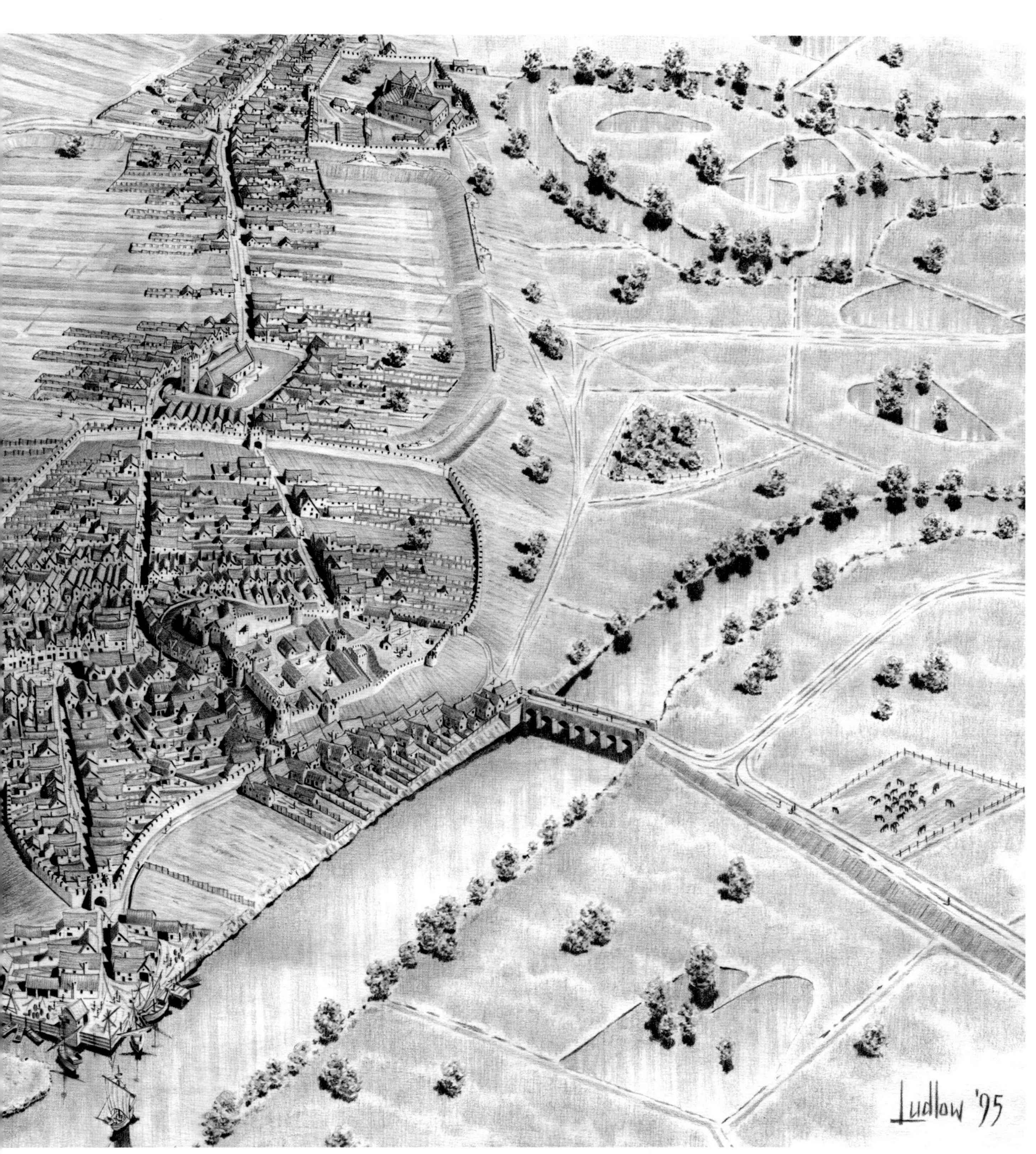
Ludlow '95

CARCHAR Y SIR

Print o ganol y 18fed ganrif sy'n dangos Castell Caerfyrddin a'r bont o'r de. Ymddengys fod yr adeilad a ddangosir rhwng y porthdy a'r gorthwr yn hwyrach na'r Canol Oesoedd a'i fod wedi ei godi yn unswydd ar gyfer y carchar o bosibl. Mae modd gwerthfawrogi'r clogwyn uchel y saif y castell arno
A mid 18th century print showing Carmarthen Castle and bridge from the south. The building shown between the gatehouse and shell-keep appears to be post-medieval, possibly purpose-built for the gaol. The commanding bluff on which the castle stands can be appreciated

Un o ddibenion Castell Caerfyrddin erioed fu carcharu troseddwyr – 'Tŵr y Carchar' yn wir oedd yr enw a roddwyd ar un o'i bum tŵr (Tŵr y De-orllewin o bosibl). I ddechrau, ni chedwid ond carcharorion pwysig, gwrthryfelwyr a herwyr, yn y castell, ond yn hwyrach yn y Canol Oesoedd ymunodd troseddwyr cyffredin â hwy, a defnyddiwyd y rhan fwyaf o'r tyrau yn ddwnsiwn.

Roedd digon o'r castell yn weddill wedi canol yr 17eg ganrif i barhau i'w ddefnyddio yn garchar. Cyfyngwyd hyn i'r beili mewnol, gan ddefnyddio'r porthdy, y gorthwr, Tŵr y De-orllewin a'r Tŵr Sgwâr, ac adeilad mwy newydd sy'n ymddangos mewn printiau cynnar. Roedd wyth cell, ystafell ddydd a buarth ymarfer a drowyd yn ddiweddarach yn ardd i geidwad y carchar. Roedd y beili allanol wedi diflannu erbyn y 1740au, ac fe'i trefnwyd yn lle agored a'i enwi yn 'Grîn y Castell'.

Roedd amodau byw'r carcharorion yn alaethus - roedd adeiladau'r castell yn dadfeilio ac yn llawn fermin, tra bo dynion, menywod a phlant wedi eu cywasgu i'r un ystafelloedd. Nid oedd gwydr yn y ffenestri, ni chaniatawyd tanwydd, ac roedd y carcharorion yn ddibynnol ar haelioni eu cyfeillion am fwyd. Ni chaesai ceidwaid y carchar dâl, gan ddibynnu ar y tollau a godent ar deulu a chyfeillion y carcharorion, a byddent yn codi 'tâl rhyddhau' yn aml i ollwng carcharorion yn rhydd ar ôl iddynt gael eu rhyddhau yn swyddogol gan y llysoedd.

Roedd yr amodau byw mor arswydus nes i'r carchar gael ei ailadeiladu rhwng 1789 a 1792, ar argymhelliad y diwygiwr carchardai John Howard ac ar gynllun y pensaer enwog John Nash, a fu hefyd yn gyfrifol am Bafiliwn Brighton a Phalas Buckingham. Roedd y carchar newydd yn lân, sych a themprus, a'u celloedd wedi eu gosod o amgylch buarthau agored. Cafwyd capel hefyd, ac ysbyty ac mae rhan o hon wedi goroesi.

Dymchwelwyd carchar Nash i raddau helaeth pan ailadeiladwyd y carchar ym 1868-9, a'i estyn ar draws Grîn y Castell. Er bod yr amodau byw wedi gwella, lle cosbi a llafur trwm ydoedd o hyd. Roedd y cyfleoedd i ddianc yn brin, ond cafwyd sawl ymgais lwyddiannus. Roedd hefyd yn lle dienyddio cyhoeddus. Hyd 1829, pan fyddai'r gosb eithaf yn cael ei rhoi am lawer o droseddau, digwyddai'r dienyddio yng ngŵydd y cyhoedd - lleolwyd y grocbren y tu allan i'r brif fynedfa gan wynebu tua Heol Spilman. Digwyddodd y dienyddiad olaf ym 1894. Caewyd y carchar yntau lai na 30 mlynedd yn ddiweddarach, ym 1922, a throsglwyddwyd y carcharorion i garchardai Abertawe a Chaerdydd. Fe'i chwalwyd yn derfynol ym 1933-39 er mwyn gwneud lle i Neuadd y Sir.

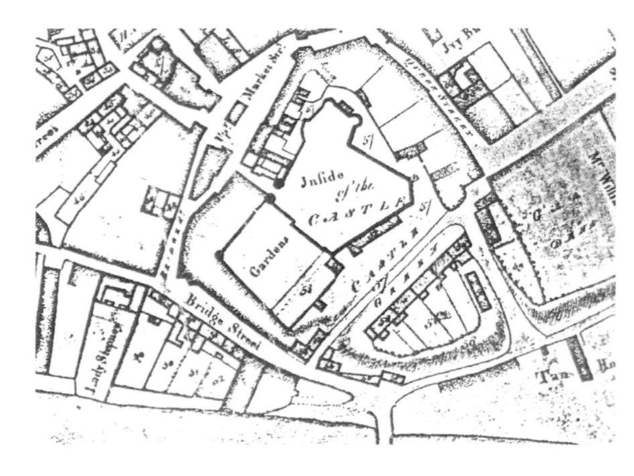

THE COUNTY GAOL

One of the uses to which Carmarthen Castle had always been put was the imprisonment of offenders - one of its five towers (possibly the Southwest Tower) was, in fact, called the 'Prison Tower'. At first, only important prisoners, rebels and outlaws were held at the castle but by the later Middle Ages they had been joined by ordinary felons, and most of the towers were in use as dungeons.

Enough remained of the castle after the mid 17th century to continue in use as a gaol. This was confined to the inner bailey, making use of the gatehouse, the keep, the Southwest Tower and the Square Tower, and a newer building shown in early prints. There were eight cells, a day room and an exercise yard which was later converted into a garden for the gaoler. The outer bailey had, by the 1740s, disappeared, and was laid out as an open space called Castle Green.

Conditions for the inmates were horrendous – the castle buildings were dilapidated and vermin-ridden, while men, women and children were herded together in the same rooms. Windows were unglazed, no fuel was allowed, and for food the prisoners were forced to rely on the generosity of friends. Gaolers received no pay, relying on tolls extracted from prisoners' family and friends, and often demanded 'discharge fees' for the release of prisoners who had been officially freed by the courts.

So dreadful were the conditions that the gaol was rebuilt between 1789 and 1792, on the recommendations of the penal reformer John Howard and to the designs of the renowned architect John Nash, also responsible for Brighton Pavilion and Buckingham Palace. The new gaol was clean, dry and airy, with cells arranged round open courtyards. There was also a chapel, and an infirmary which partly survives.

Nash's gaol was largely swept away when the prison was rebuilt in 1868-9, and when it was extended over Castle Green. Though conditions had improved, it remained a place of punishment and hard labour. Opportunities for escape were few, but there were a number of successful attempts. It was also a place of execution. Until 1829, when many offences carried the death penalty, executions were public - the scaffold was situated outside the main entrance facing Spilman Street. The last execution was in 1894. The gaol itself closed less than 30 years later, in 1922, the prisoners being transferred to Swansea and Cardiff gaols. It was finally demolished in 1933-39 to make way for County Hall.

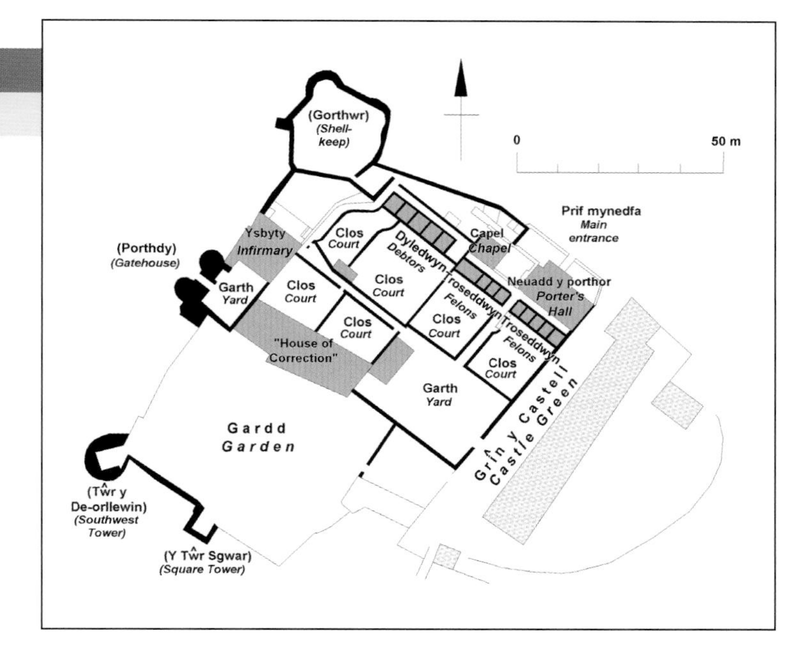

Cynllun sy'n dangos ffurf carchar John Nash, 1792-1868 (Hawlfraint y Goron: Comisiwn Brenhinol Henebion Cymru)

A plan showing John Nash's gaol, 1792-1868 (Crown Copyright: Royal Commission on Ancient and Historical Monuments of Wales)

Chwith: Mae'r map hwn o Gaerfyrddin ym 1786 yn dangos yr hen garchar a Grîn y Castell, ond ni cheir y manylion mewnol. Ychydig iawn o'r castell sydd ar ôl - prin mwy na heddiw- er bod yr aliwio'n dangos yr gwrthgloddiau a'r ffosydd. Mae heol, â bythynnod ar ei hyd, yn croesi Grîn y Castell, ar hyd llinell y ffos rhwng beili mewnol a beili allanol y castell (Gwasanaeth Archifau Sir Gaerfyrddin)

Dde: Llun o'r awyr o'r carchar estynedig, o'r de-ddwyrain oddeutu 1930 (Gwasanaeth Amgueddfa Sir Gaerfyrddin)

Left: This map of Carmarthen from 1786 shows the old gaol and Castle Green, but internal detail has been omitted. Very little of the castle survives – little more than today – although the earthwork banks and ditches are shown in shading. A road, lined with cottages, crosses Castle Green, on the line of the ditch between the inner and outer baileys of the castle (Carmarthenshire Archives Service)

Right: An aerial photograph of the extended gaol, from the southeast in c.1930 (Carmarthenshire County Museum Service)

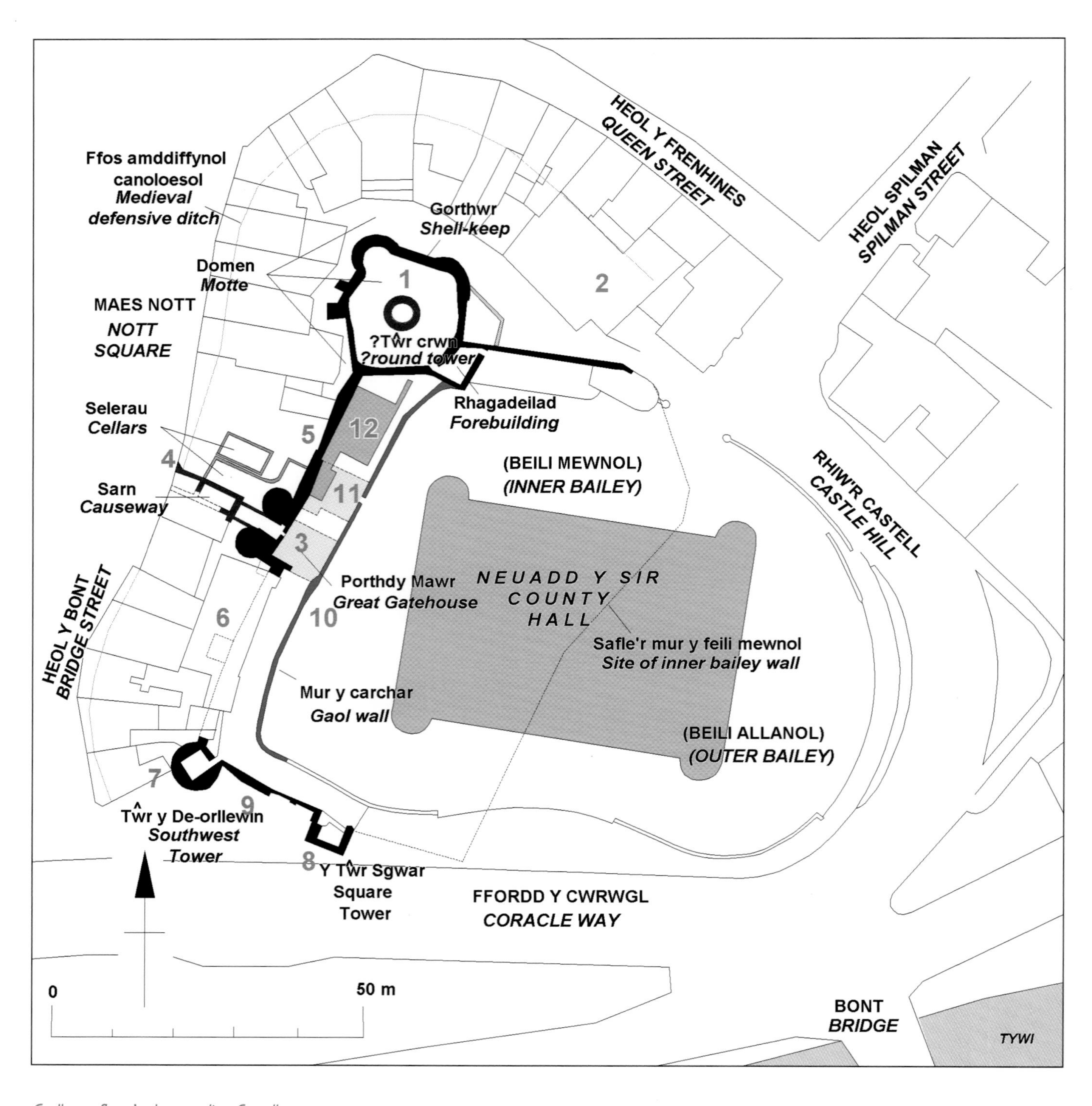

Cynllun safle sy'n dangos olion Castell Caerfyrddin a'r carchar, a Neuadd y Sir
Site plan showing the remains of Carmarthen Castle and gaol, and County Hall

TAITH DDISGRIFIADOL

Roedd Castell Caerfyrddin gyda'r mwyaf yng Nghymru, a lledai'r adeilad gwreiddiol ar draws holl safle Neuadd y Sir a chwmpasu bron i hectar o dir. Darn bach iawn yn unig o'r adeilad gwreiddiol sy'n weddill ond does dim dwywaith nad yw'n taro'r llygaid. Mae'r domen a'r porthdy yn dal i fwrw eu cysgod dros y dref. Mae hewlydd y dref yn dal i ymdroelli er mwyn eu hosgoi, tra bo'r olion ar yr ochr ddeheuol yn dal i godi yn uchel uwchben Afon Tywi.

Roedd i'r castell feili mewnol, a wynebai'r dref, a beili allanol tua'r dwyrain. Roedd ffosydd dwfn o gwmpas y naill feili a'r llall, a'r domen, ac eithrio ar yr ochr ddeheuol lle mae'r tir yn disgyn yn serth tua'r afon. Mae'r ffosydd hyn wedi eu hen lenwi. Dichon i'r amddiffynfeydd aros yn rhai coed gan fwyaf hyd y 1230au, ond mae'r dogfennau canoloesol wedi'r dyddiad hwn yn cyfeirio'n gyson at y 'pum tŵr', gan olygu amddiffynfeydd cerrig y beili mewnol fwy na thebyg.

Yr hyn sydd wedi goroesi yw olion amddiffynfeydd ochrau deheuol a gorllewinol y beili mewnol. Maent yn cynnwys y domen a'r gorthwr (1 ar y cynllun gyferbyn), y prif borthdy (3) a gweddillion tanddaearol sarn ei fynedfa (4), Tŵr mawr y De-orllewin (7), y Tŵr Sgwâr (8), a darnau ar eu hyd o'r mur llen canoloesol, a newidiwyd yn ddiweddarach, sy'n cysylltu'r tyrrau hyn â'i gilydd (2, 5, 6 a 9). Nid oes dim o'r beili allanol ar ôl. Mae'r deunyddiau adeiladu yn galchfaen lleol a thywodfaen lleol yn bennaf ac ychydig o garreg Caer Faddon wedi'i mewnforio yn yr addurn.

Er ysgubo ymaith adeiladu'r carchar ym 1938 i wneud lle i Neuadd y Sir, erys darn hir o fur carchar canol y 19eg ganrif oddi mewn i'r amddiffynfeydd canoloesol (10 ac 11). Ymhlith adeiladu'r bedwaredd ganrif ar bymtheg ceir hefyd Hen Orsaf yr Heddlu, neu 'Tŷ'r Castell' (12).

Serch hynny, mae'r rhan fwyaf o weddillion y castell, a'r carchar, ynghudd o dan Neuadd y Sir a'i maes parcio. Amhosibl dweud ar hyn o bryd faint sydd wedi goroesi o dan y ddaear. Byddai angen gwaith cloddio yn y dyfodol i wybod yn iawn.

DESCRIPTIVE TOUR

Carmarthen was one of the largest castles in Wales, originally extending across the whole County Hall site and encompassing nearly a hectare. What remains is just a fraction but is undeniably impressive. The motte and gatehouse still dominate the town, whose streets still twist and turn to avoid them, while the remains on the southern side rise high above the River Tywi.

The castle comprised an inner bailey, facing the town, and an outer bailey to the east. Both baileys, and the motte, were surrounded by deep ditches, except to the south where the ground falls steeply away to the river. These ditches have long since been filled in. The defences may have remained largely of timber until the 1230s, after which the medieval documents consistently refer to the 'five towers', presumably meaning the stone defences of the inner bailey.

What survives represents the defences of the south and west sides of the inner bailey. They include the motte and shell-keep (1 in plan opposite), the main gatehouse (3) and the below-ground remains of its entrance causeway (4), the large Southwest Tower (7), the Square Tower (8), and lengths of medieval curtain wall, later altered, that connect these towers (2, 5, 6 and 9). Nothing remains of the outer bailey. The building material is mainly local limestone and sandstone, with some imported Bath stone in the dressings.

Although the gaol buildings were swept away in 1938 to make way for County Hall, a long stretch of the mid 19th century gaol wall survives inside the medieval defences (10 and 11). Nineteenth century buildings also include the Old Police Station, or 'Castle House' (12).

However, most of the remains of the castle, and the gaol, lie buried beneath County Hall and its car park. How much survives underground is as yet unknown. Only future excavation could tell us.

Y domen a'r gorthwr (1)

Saif y domen (1) yng nghornel ogledd-orllewin y castell, gan ymddyrchafu uwchben Neuadd y Sir. Hon yw'r rhan hynaf o'r castell i oroesi, gan iddi gael ei chodi oddeutu 1106. Mae'n fwy na 10 metr o uchder, ac yn 30 metr ar ei thraws, ond gwneuthuriad hollol artiffisial ydyw wedi ei ffurfio o'r pridd a gloddiwyd o'r ffos oddi amgylch. Mae mur cerrig yn gylch amdani sy'n cynnwys gweddillion 'gorthwr' y canol oesoedd. Mae'r gorthwr hwn yn hynod - mae'r mur yn rhannol gau am y domen, yn hytrach na'i amgylchynu, trefniad tebyg i'r un a welir hefyd yng Nghastell Berkeley (Swydd Gaerloyw) a Chastell Farnham (Surrey).

Cewch ddringo i ben y domen ar hyd grisiau serth sy'n arwain o faes parcio Neuadd y Sir. Mae'n fan addas ar gyfer golygfeydd hyfryd o'r dref ganoloesol. Mae'r grisiau'n fodern, ond gall fod i'r amgae agored y maent yn dringo trwyddo darddiad canoloesol fel 'rhagadeilad' – sef amddiffyniad ychwanegol i'r gorthwr. Cewch weld y creithiau a'r socedi a adawyd gan adeiladau diweddarach y carchar, sydd wedi eu dymchwel erbyn hyn, ar ei wyneb allanol.

Mae'r mur presennol o amgylch y domen yn dilyn llinell y gorthwr canoloesol yn rhannol ond fe'i hailadeiladwyd i raddau helaeth yn gynnar yn yr 20fed ganrif. Pan gafodd ei adeiladu yn gyntaf - yn y 1230au fwy na thebyg - byddai wedi bod yn uwch o lawer. Y gorthwr oedd cadarnle'r castell, ond nid tŵr ydoedd. Yn hytrach, safai rhesi o adeiladau yn erbyn ochr fewnol mur y gorthwr, gan gau am fuarth bach. Mae'r gwaith cloddio wedi datgelu olion yr adeiladau hyn ynghyd â adeiladwaith cynharach, ynghanol y domen, a oedd o bosibl yn sylfaen cerrig i dŵr crwn o bren. Mae hwn yn hŷn na'r gorthwr a gall fod yn gysylltiedig â'r gwariant yn y 1180au.

Cewch gerdded o amgylch ymyl y gorthwr ar hyd llwybr estyllod. Edrychwch am waelod y grisiau canoloesol yn nhrwch mur gwreiddiol y gorthwr i'r gorllewin. Cymerwch eich amser i sylwi ar amrywiaeth toeau'r dref, sef plethwaith o oleddf a deunyddiau gwahanol. Fe welwch yn ogystal sut y mae'r muriau y tu cefn i'r tai oddi amgylch yn ymledu o'r domen. Mae'r ffiniau hyn yn dilyn amlinelliad eiddo yn y canol oesoedd, sef y 'tir bwrgais'.

Wrth ddychwelyd yn eich ôl i lawr o'r domen, edrychwch ar y mur ar y chwith (2). Er iddo gael ei ailadeiladu sawl gwaith, mae'n cynnwys gweddillion mur gogleddol y beili mewnol canoloesol fwy na thebyg. Cewch gerdded o gwmpas tu allan y gorthwr, a gweld bod iddo ddwy 'lob' ar ffurf hanner cylch; mae'n bosibl i'r rhain fod yn rhan o'r adeilad gwreiddiol. Gwelwch sut y mae'r tir y tu cefn i'r tai wedi llyncu llawer o ochrau'r domen, gydag amser a'r muriau cynnal y bu'n rhaid eu hadeiladu yn dilyn hynny.

Y gorthwr o faes parcio Neuadd y Sir, sy'n dangos y fynedfa i'r 'rhagadeilad'. Gallwch weld y grisiau a'r fynedfa i'r gorthwr y tu hwnt iddynt.
The shell-keep from County Hall car park, showing the entrance to the 'forebuilding'. You can see the steps and the shell-keep entry beyond.

The motte and shell-keep (1)

The motte (1) occupies the northwest corner of the castle, rising massively above County Hall. It is the oldest surviving part of the castle, having been thrown up in c.1106. It is over 10 metres high, with a diameter of 30 metres, but is entirely artificial being made of earth cast up from the surrounding ditch. It is surrounded by a stone wall incorporating the remains of the medieval 'shell-keep'. This keep is unusual – instead of surrounding the motte-top, the wall partly encases the motte, an arrangement also seen at Berkeley Castle (Gloucs.) and Farnham Castle (Surrey).

You can climb to the top of the motte via a steep flight of steps leading from County Hall car park. It is a vantage point that gives superb views over the medieval town. The steps themselves are modern but the open enclosure through which they rise may have medieval origins as a 'forebuilding' – an extra defence to the keep. You can see the scars and sockets left by various later gaol buildings, now demolished, on its outer face.

The present wall around the motte partly follows the line of the medieval shell-keep but was largely rebuilt in the early 20th century. As first built - probably in the 1230s – it would have been much higher. The keep was the strongpoint of the castle, but it was not a tower. Instead, ranges of buildings lay against the inside of the shell-wall, enclosing a small courtyard. Excavation has revealed traces of these buildings along with an earlier structure, in the middle of the motte, which may have been the stone base for a timber round tower. This pre-dates the shell-keep and may relate to spending in the 1180s.

You can walk around the edge of the shell-keep via a boardwalk. Look for the base of the medieval stairway in the thickness of the original shell-wall on the west side. Take time to look out over the varied roofscape of the town, a complex of different pitches and materials. You can also see how the surrounding backyard walls radiate out from the motte. These boundaries follow the lines of the medieval properties or 'burgage plots'.

Retracing your steps down from the motte, look at the wall to your left (2). Though much rebuilt, it probably incorporates the remains of the north wall of the medieval inner bailey. You can walk around the outside of the shell-keep, and see that it has two semicircular 'lobes', possibly original. You can also see how the surrounding backyards have progressively eaten into the sides of motte, and the retaining walls that subsequently had to be built.

Sylfeini'r tŵr crwn posibl ynghanol y domen. Ychwanegwyd y pridd garddio dwfn sy'n eu gorchuddio yn gynnar yn yr 20fed ganrif pan drefnwyd pen y domen yn ardd

The footings of the possible round tower in the middle of the motte. The deep garden soil overlying them was brought in during the early 20th century when the motte-top was laid out as a garden

Y porthdy (3)

Yn 13 metr o uchder ac yn bwrw ei gysgod dros Sgwâr Nott - sef lleoliad y farchnad yn y canol oesoedd - y porthdy mawr (3) yw'r darn mwyaf a'r rhan fwyaf cymhleth o'r castell sydd wedi goroesi erbyn hyn, a dyma'r brif fynedfa o'r dref o hyd. Fe'i hadeiladwyd yn ei ffurf bresennol ym 1409 ond mae'n bosibl iddo gynnwys rhan o borthdy cynharach, a ddinistriwyd yn ystod gwrthryfel Glyn Dŵr ym 1405-6. Mae'n ddau lawr o uchder, gyda llwybr a chlwyd a dau dŵr crwn ar bob ochr a oedd yn wag ar y dechrau, ond fe'u llenwyd â rwbel wedi ei falu, yn ystod Rhyfel Cartref y 1640au o bosibl. Uwch eu pen ceir siambr cwnstabl y canol oesoedd. Roedd y porthdy gwreiddiol lawer iawn yn fwy, gyda darn helaeth i'r cefn - a fyddai wedi cynnwys mwy o lety pellach i'r cwnstabl - sydd wedi diflannu.

Wrth godi'ch golygon at y porthdy o Maes Nott, cewch syniad o'i faint yn ogystal â'i ansawdd. Byddai angen croesi pont godi er mwyn cyrraedd ato, ac roedd porthcwlis yn amddiffyn y llwybr, ynghyd â rhyngdyllau neu lithrennau y gellid gollwng taflegrau trwyddynt ar ben ymosodwyr. Ychwanegwyd y drws cefn bychan ym mhen mewnol pellaf llwybr y porth ar ôl symud rhan gefn y porthdy. Pan ewch trwy'r drws hwn, a bwrw golwg yn ôl tua'r wyneb cefn, cewch weld lle roedd y darn cefn gynt yn ymuno - mae rhan o'i fur deheuol yn aros, yn ogystal â'r pyrth a'i cysylltai, er bod rhai o'r rhain wedi eu llenwi.

Dringwch y grisiau troellog modern i'r llawr cyntaf. Mae'n debyg mai siambr gyfforddus ydoedd hon, yn addas ar gyfer y cwnstabl, gyda lle tân yn y mur mewnol a llawer o ffenestri (y mae rhai o'r rhain wedi eu llenwi erbyn hyn). Fodd bynnag, byddai'r siambr wedi cynnwys peirianwaith y porthcwlis hefyd, a chewch weld yr agen y codid ac y gollyngid hwn drwyddo, a'r twll arllwys, yn y llawr.

Porthdy'r castell, fel y mae'n ymddangos o'r dref.
Un o'r ffenestri yn siambr y llawr cyntaf sy'n dangos manylder cain y 15fed ganrif
Above: The castle gatehouse, seen from the town
Right: One of the windows in the first-floor chamber showing the fine 15th century detail

Darlun dychmygol sy'n ceisio ail-greu'r porthdy fel y byddai wedi ymddangos o'r tu cefn, er mwyn dangos trefn bosibl y darn cefn gynt. Efallai i hyn fod yn rhan o borthdy cynharach a gadwyd wrth ailadeiladu ym 1409 (Darluniwyd gan Neil Ludlow)
A conjectural reconstruction drawing of the gatehouse, seen from behind, to show the possible arrangement of the former rear section. This may have been part of an earlier gatehouse which was retained when it was rebuilt in 1409 (Drawing by Neil Ludlow)

The gatehouse (3)

Standing 13 metres high and overlooking Nott Square - the medieval marketplace - the great gatehouse (3) is the largest and most complex part of the castle now surviving, and is still the main entrance from the town. In its present form it dates from 1409 but may incorporate part of an earlier gatehouse, destroyed in Glyn Dwr's rebellion of 1405-6. It is two storeys high, with a gate passage flanked by two round towers that were originally hollow, but were filled in with mortared rubble, possibly during the Civil War of the 1640s. Above them lies the medieval constable's chamber. The gatehouse was originally much bigger, a large section to the rear - which would have included further accommodation for the constable – having gone.

Looking up at the gatehouse from Nott Square you can appreciate both its size and quality. The entrance passage, which was originally approached over a drawbridge, was protected by a portcullis, and by 'machicolations' or chutes through which missiles could be dropped on attackers. The small doorway at the inner end of the gate passage was inserted after the rear half of the gatehouse had been removed. Going through this doorway, and looking back at the rear face, you can see where the former rear section joined – part of its south wall survives, as do the doorways, some blocked, that communicated with it.

Climb up the modern spiral stair to the first floor. This appears always to have been a large comfortable chamber, suitable for the constable, with a fireplace in the inner wall and numerous windows (some now blocked). However, this chamber would also have housed the mechanism for the portcullis and you can still see the slot through which this was raised and lowered, and the machicolation chute, in the floor.

Yn edrych i fyny at fynedfa'r porthdy. Y rhyngdyllau arllwys yw'r bwâu cain o garreg Caer Faddon sydd wedi eu corbelu rhwng y ddau dŵr ar lefel y llawr cyntaf a'r parapet.
Looking up at the entrance of the gatehouse. The 'machicolation' chutes are the fine Bath Stone arches corbelled out between the two towers at first floor and parapet level

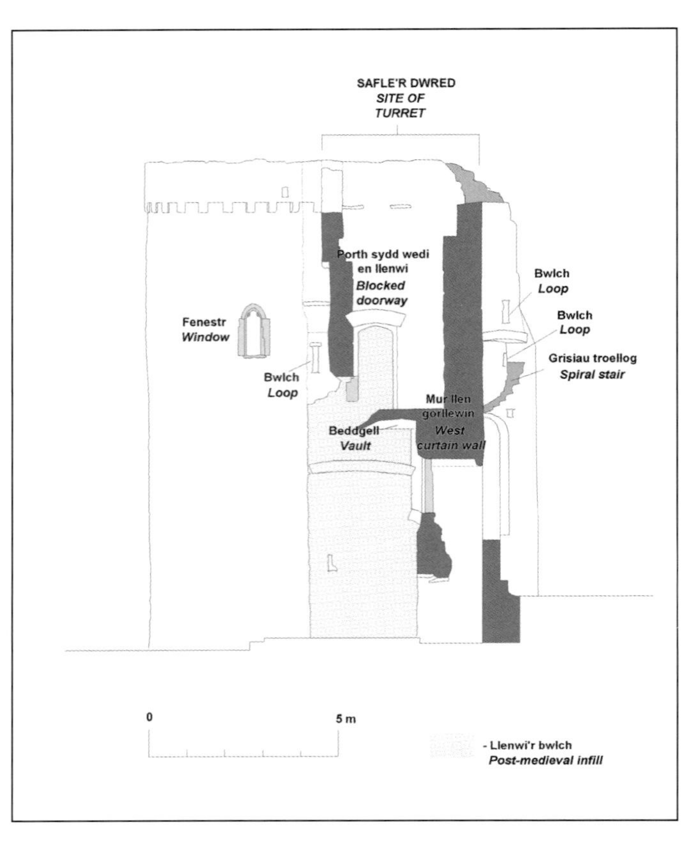

Mae modd gweld ochr ddeheuol y porthdy o'r tu allan. Unwaith eto, cewch weld pyrth sydd wedi eu llenwi a bonion muriau, sy'n dangos i dwred a oedd yn cynnwys garderobe (toiledau'r canol oesoedd) ac ystafelloedd gwasanaethu, sefyll yn yr ongl â'r mur llen cynt (6). Cewch hefyd weld sut y symudwyd dwy ran o dair isaf y wyneb hwn, efallai er mwyn creu mynedfa o'r tir cyfagos ar ôl y Canol Oesoedd, yn rwbel y meini a ddefnyddiwyd yn ddiweddarach i lenwi'r bwlch. Mae'n rhyfeddod i'r porthdy gael ei adael i sefyll.

The south side of the gatehouse can be viewed from outside. You can see blocked doorways and the stubs of walls, indicating that a turret containing garderobes (medieval lavatories) and service rooms stood in the angle with the former curtain wall (6). You can also see how the lower two-thirds of this face was removed, possibly to create access from the neighbouring property after the Middle Ages, in the rubble masonry that was later used to infill the gap. It is remarkable that the gatehouse was left standing

Rhwng y porthdy a Maes Nott ceir dryswch o selerau, sydd wedi eu cau erbyn hyn. Roeddent yn perthyn i'r tai a'r siopau a adeiladwyd, yn yr hyn a fu'n ffos y castell, yn ystod y 18fed a'r 19eg ganrif. Mae un o'r selerau'n cynnwys rhan o bont y canol oesoedd (4) a redai unwaith ar draws y ffos i'r porthdy. Dangosodd cloddio archeolegol yn 2003 fod dwy adeg adeiladu bwysig wedi bod yn hanes y bont. Codwyd dau bier o feini a oedd yn sefyll ar eu pennau eu hunain i ddechrau, ac a oedd yn cynnal pont goed, a ddaeth yn ddiweddarach yn sarn feini barhaus trwy ychwanegu muriau cysylltu. Dengys llun oddeutu 1610 y rhagfur, neu'r porthdy allanol i'r bont, sydd wedi mynd erbyn hyn. Nodir amlinelliad y bont ar y wyneb o flaen y porthdy.

Mur llen y gorllewin (5 a 6)

Daw'r mur uchel (5) rhwng y porthdy a'r gorthwr o'r canol oesoedd gan mwyaf, er y bu llawer o newid arno, a hwn oedd mur llen y beili mewnol i'r gorllewin. Diflannodd y mur canoloesol (6) rhwng y porthdy a Thŵr y De-orllewin, ac ychwanegwyd y mur isel a geir yma mewn cyfnod modern, ond mae modd gweld ei fôn yn wyneb deheuol y porthdy. Dangosodd cloddio archeolegol yn y fan yma iddo redeg ar hyd pen clawdd enfawr o bridd, ond symudwyd pob argoel o'r mur - a'r tŵr sgwâr a ddangoswyd hanner ffordd ar ei hyd mewn darlun tua 1610 - pan wastatwyd y clawdd hwn yn ddiweddarach.

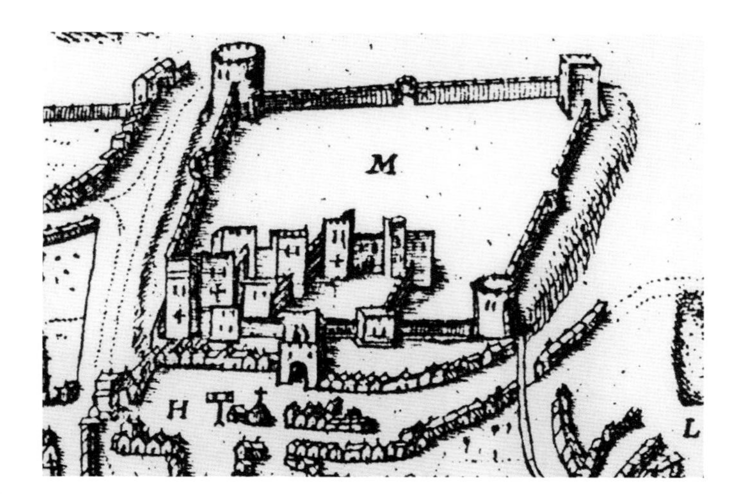

Cynllun John Speed o Gastell Caerfyrddin, a ddarluniwyd oddeutu 1610. Er efallai nad yw'n arolwg manwl, mae'n dangos llawer o nodweddion y gwyddys iddynt fodoli, yn ogystal â rhai a ddiflannodd wedi hynny, fel mur llen y gorllewin - gyda thŵr - rhwng y porthdy a Thŵr y Deorllewin. Mae hefyd yn dangos y rhagfur o flaen y porthdy.
John Speed's plan of Carmarthen Castle, drawn in c.1610. Although perhaps not a precise survey, it shows many features known to exist as well as some that have since gone, like the west curtain wall - with a tower - between the gatehouse and the Southwest Tower. It also shows the barbican in front of the gatehouse.

Lying between the gatehouse and Nott Square is a warren of cellars, now closed over. They belonged to houses and shops built, in what was the castle ditch, during the 18th and 19th centuries. One of the cellars incorporates part of the medieval bridge (4) that formerly ran across the ditch to the gatehouse. Archaeological excavation in 2003 revealed that the bridge comprised two main builds. At first, two free-standing masonry piers supported a timber bridge, which was then turned into a continuous masonry causeway through the insertion of connecting walls. A drawing of c.1610 shows the 'barbican', or outer gateway onto the bridge, which has now gone. The outline of the bridge is marked in the surfacing in front of the gatehouse.

Esgid ledr a darn o ddysgl bren o'r canol oesoedd. Darganfuwyd y rhain yn ystod cloddio archeolegol o flaen y porthdy. Daethpwyd o hyd iddynt mewn haen llawn dŵr yn llenwad ffos y castell. Dyma amodau delfrydol ar gyfer cadw deunydd organaidd.
A medieval leather shoe and part of a wooden bowl, found during archaeological excavation in front of the gatehouse. They were found in a waterlogged deposit in the fill of the castle ditch, conditions ideal for the preservation of organic material.

The west curtain wall (5 and 6)

The high wall (5) between the gatehouse and the shell-keep is mostly medieval, though much altered, and represents the west curtain wall of the inner bailey. The medieval wall (6) between the gatehouse and the Southwest Tower has gone, the low wall here being a modern replacement, but its stub can be seen on the south face of the gatehouse. Archaeological excavation here showed that it ran along the top of a massive earthen bank, but all traces of the wall - and of the square tower shown halfway along it in a drawing of c.1610 - were removed when this bank was later levelled.

Cloddio gweddillion y sarn yn 2003. Mae tŵr deheuol y porthdy ar y dde.
The remains of the causeway under excavation in 2003. The southern gatehouse tower is to the right.

Tŵr y De-orllewin o'r de-ddwyrain
The Southwest Tower from the southeast

Tŵr y De-orllewin (7)

Mae'r tŵr anferthol hwn, a'i dri llawr sy'n 15 metr o uchder, yn hawlio'r sylw wrth edrych at y dref o'r de. Roedd y tŵr gwreiddiol yn uwch eto ac yn cynnwys pedwerydd llawr. Fodd bynnag, cuddiwyd y rhan fwyaf ohono gan dai segur nes i'r rhain gael eu dymchwel ym 1994-5. Saif yng nghongl y beili mewnol i'r de-orllewin, yn erbyn y llethr serth at Afon Tywi, gan gynnal y llethr hwnnw.

Mae'n dŵr hirgrwn, gyda bwtresi 'ysbardun' yn ymestyn allan yn eofn. Mae ei ddull yn nodweddiadol o gyfnod hwyr yn y 13eg ganrif ond awgrym tystiolaeth y dogfennau yw y gall fod yn gynharach, o oddeutu'r 1230au. Mae'n bosibl mai hwn yw 'Tŵr y Carchar' y mae sôn amdano ym 1321. Roedd gan y tri llawr cyfan ystafelloedd petryal â nenfwd o fwâu maen, ac roedd modd mynd atynt ar hyd cafn grisiau troellog yn ochr ddwyreiniol y tŵr. Er nad oes modd dringo i ben y tŵr, mae'n dal i fod yn bosibl gwerthfawrogi'r golygfeydd i lawr at yr afon ac ar hyd Dyffryn Tywi.

Ehangwyd y tu fewn yn y 19eg ganrif trwy dorri ar fur y de-orllewin – cewch weld y meini garw yma, a'r modd y llenwyd ffenestri'r canol oesoedd. Mae hyn yn profi i ystafelloedd y canol oesoedd gael eu defnyddio o hyd, hyd yn oed wedi helaethu'r carchar.

Cewch ddisgyn y grisiau i'r llawr isaf. Mae'r llawr concrit yma o wneuthuriad modern. Tanseiliwyd llawr y canol oesoedd gan gyfres o selerau a duriwyd o'r tai cyfagos yn y 18fed a'r 19eg ganrif. Roedd hon yn fenter beryglus gan i'r tŵr gael ei adeiladu heb sylfeini, ar ddull nodweddiadol y canol oesoedd. Felly'r gorchwyl cyntaf ym 1995, ar ôl dymchwel y tai hyn, oedd gofalu y byddai'r tŵr yn dal ar ei draed!

The Southwest Tower (7)

This massive tower, three storeys and 15 metres high, dominates the view of Carmarthen from the south. It was originally even taller, with a fourth storey. However, it was largely hidden behind derelict houses until they were cleared in 1994-5. Situated at the southwest corner of the inner bailey, it lies against – and retains - the steep slope down to the River Tywi.

A cylindrical tower, with boldly projecting 'spur' buttresses, its style is typical of the late 13th century but documentary evidence suggests that it may be earlier, from the 1230s. It may be the tower called the 'Prison Tower' in 1321. All three storeys originally contained rectangular, stone-vaulted rooms, which were reached by a spiral stair shaft in the east side of the tower. Although you cannot climb to the top of the tower, you can still appreciate the views down to the river and along the Tywi valley.

The interior was enlarged during the late 19th century by cutting back the southeast wall – you can see the rough masonry here, and how the medieval windows were blocked. This shows that medieval buildings were still used even after the gaol had been extended.

You can go down the stair into the basement storey. The concrete floor here is modern. The medieval floor had been undermined by a series of 18th and 19th century cellars, tunnelled in from adjoining houses. This was a risky undertaking as the tower had been built, in typical medieval fashion, without footings. So the first task in 1995, once these houses had been cleared, was to make sure the tower would remain standing!

Y Tŵr Sgwâr (8)

Mae'r Tŵr Sgwâr hefyd yn amlwg wrth i bobl edrych o'r de. Un llawr yn unig sydd iddo erbyn hyn, ar lefel y llawr isaf, ond adeiladwyd yntau yn erbyn llethr serth y de ac felly mae'n edrych dros Ffordd y Cwrwg, gan roi golygfeydd da ar draws yr afon. Mae modd mynd ato, ar hyd y grisiau troellog gwreiddiol o'r maes parcio. Wyddom ni ddim a oedd y tŵr gwreiddiol yn uwch, ond mae darn sydd wedi ei lenwi ym mur y de yn awgrymu iddo gynnwys o bosibl 'gilborth' y canol oesoedd (neu 'ddrws y cefn') y mae sôn amdano yn nogfennau'r canol oesoedd. Gwaith gwreiddiol yw'r nenfwd bwaog. O ran arddull ymddengys i'r tŵr berthyn i'r 15fed ganrif, ond awgryma'r dogfennau i gilborth sefyll yma ers yn hwyr yn y 13eg ganrif.

Dangosodd y cloddio i'r tŵr hwn hefyd gael ei godi heb sylfeini, er gwaethaf y lletharau serth, ond, fel yn achos Tŵr y De-orllewin, fe'i tanseiliwyd gan o leiaf un seler gyfagos yn ystod y 18fed - 19eg ganrif.

Erbyn hyn diflannodd mur llen deheuol y canol oesoedd (9), a fyddai wedi cysylltu'r Tŵr Sgwâr â Thŵr y De-orllewin, ac mae'r mur presennol yn fodern. Mae modd gweld bonion mur y canol oesoedd ar y ddau dwr, serch hynny. Adeiladwyd y mur, fel y tŵr, heb sylfeini a cheir cofnod o gylch cyson bron o ddisgyn ac ailadeiladu yn nogfennau'r canol oesoedd. Rhoddwyd rhywbeth arall yn ei le fwy nag unwaith yn y 18fed a'r 19eg ganrif ond roedd y muriau diweddarach hyn hefyd wedi disgyn yn rhannol, pan ddechreuwyd ar y gwaith clirio yn y 1990au.

Y Tŵr Sgwâr o'r de-orllewin
The Square Tower from the southwest

The Square Tower (8)

Also prominent in views from the south is the Square Tower. This is now just one storey high, at basement level, but was also built against the steep southern slope and so it too looks down onto Coracle Way, giving good views over the river. It can be entered, via the original spiral stair, from the car park. We don't know if it was originally any higher, but an area of infill in the south wall suggests that it may have contained the medieval 'postern' (or 'back door') mentioned in medieval documents. The vaulted ceiling is original. Stylistically the tower would seem to belong to the 15th century, but documents suggest that there may have been a postern here since the late 13th century. Excavation revealed that, despite the steep slope, this tower was also built without footings, but like the Southwest Tower it had been undermined by at least one neighbouring cellar during the 18th -19th centuries.

The medieval south curtain wall (9), which would have connected the Square Tower to the Southwest Tower, has now gone and the present wall here is modern. You can however see the stubs of the medieval wall on both towers. Like the towers, the wall was built without footings and an almost constant cycle of collapse and rebuilding is recorded in medieval documents. It was replaced more than once in the 18th and 19th centuries but this later walling too had partly collapsed when clearance work began in the 1990s.

Yr adran hon o fur y carchar oedd mur dwyreiniol gwreiddiol ysbyty John Nash, gan gynnwys y ddau agoriad crwn sydd wedi eu llenwi. Mae'r porth a'r rheiliau yn fodern.
This section of the gaol wall was originally the east wall of John Nash's infirmary, including the two blocked circular openings. The doorway and railings are modern

The gaol wall (10 and 11) and Old Police Station (12)

The high wall running between the gatehouse and County Hall car park is the last remnant of the County Gaol. It was built when the gaol was extended in 1868-69 and originally ran around the entire castle site (see the aerial photo on p. 19), supplementing the old medieval walls which were no longer secure.

A section of this wall is however older. Immediately behind the castle gatehouse is a slightly higher stretch of wall (11), through which you now enter County Hall car park. This section of wall belongs to the gaol infirmary that was built by John Nash in 1789-92, on the site of an earlier building shown in 18th century prints. The surviving features – a blocked window, and a circular opening beneath it, both with brick surrounds – show that the building must have been of good quality, as might be expected from an architect like Nash. The infirmary was demolished when the gaol was extended, and the Old Police station (12) was built.

The Old Police Station was the HQ of the Carmarthenshire Constabulary from the early 1880s until 1947 and is the only surviving county lock-up in Wales. It still shows many original features and the two cells can be entered. The remainder of the building is now a centre for the Prince's Trust.

Mur y carchar (10 ac 11) a Hen Orsaf yr Heddlu (12)

Y mur uchel sy'n rhedeg rhwng y porthdy a maes parcio Neuadd y Sir yw unig weddillion Carchar y Sir. Fe'i hadeiladwyd pan estynnwyd y carchar ym 1868-69 a rhedai yn wreiddiol o amgylch holl safle'r castell (gweler y llun o'r awyr ar dud. 19), gan ychwanegu at hen furiau'r canol oesoedd nad oedd yn ddiogel bellach.

Mae adran hŷn i'r mur hwn, serch hynny. Yn union y tu cefn i borthdy'r castell ceir darn o fur sydd ychydig yn uwch (11), lle cewch fynd i faes parcio Neuadd y Sir erbyn hyn. Mae'r darn hwn o'r mur yn perthyn i ysbyty'r carchar a gododd John Nash ym 1789-92, ar safle adeilad cynharach sy'n ymddangos ar brintiau'r 18fed ganrif. Dengys y nodweddion sydd wedi goroesi - ffenest sydd wedi ei llenwi, gydag agoriad crwn oddi tani, ac amgylchiad bric iddynt ill dau - i'r adeiladu fod o safon uchel, fel y gellid ei ddisgwyl gan bensaer fel Nash. Dymchwelwyd yr ysbyty pan estynnwyd y carchar, ac adeiladu Hen Orsaf yr Heddlu (12).

Hen Orsaf yr Heddlu oedd Pencadlys Heddlu Sir Gaerfyrddin o'r 1880au hyd 1947 a dyma'r unig garchar sirol sydd wedi goroesi yng Nghymru. Mae'n dal i ddangos llawer o'r nodweddion gwreiddiol, ac mae modd mynd i'r ddwy gell. Mae gweddill yr adeilad yn ganolfan ar gyfer Ymddiriedolaeth y Tywysog erbyn hyn.

Heddlu Sir Gaerfyrddin o flaen Hen Orsaf yr Heddlu oddeutu 1905. O'r braidd y mae'r adeilad wedi newid ers hynny (Amgueddfa Heddlu Dyfed-Powys)
The Carmarthenshire Constabulary in front of the Old Police Station in c.1905. The building has since hardly changed (Dyfed-Powys Police Museum)

Neuadd y Sir

Neuadd y Sir yw Pencadlys Cyngor Sir Caerfyrddin. Fe'i cynlluniwyd yn y 1930au gan Syr Percy Thomas, a oedd hefyd yn gyfrifol am Guildhall Abertawe sydd wedi derbyn cymaint o glod, Teml Heddwch ac Iechyd Caerdydd, a rhan helaeth o Gampws Prifysgol Cymru, Aberystwyth.

Mae'n adeilad syfrdanol - chateau Ffrengig sy'n ehedeg uwchben Afon Tywi a'r bont - dyma un o'r adeiladau cyhoeddus mwyaf adnabyddus o ganol yr 20ed ganrif yng Nghymru, ac mae wedi ei restru yn adeilad Gradd II. Mae wedi bod yn destun llawer o luniau a chardiau post. Goleuwyd ei furiau maen llwyd llym gan faen gwyn o Portland yn Dorset a chan y ffenestri petryal mawr, ac mae cyfanswm o 100 o'r rhain. Mae'r toeau serth o lechi llwydwyrdd Sir Benfro, a chwyd pedwar corn simnai anferthol uwch eu pennau, ar blinth o garreg Portland. Mae'r brif fynedfa, a wneir hefyd o gerrig Portland, yn dangos cerfweddau sy'n egluro gwahanol swyddogaethau'r adeilad gan gynnwys addysg a threthi. Dywedir bod rhai o gelloedd y carchar wedi goroesi a'u bod yn cael eu defnyddio yn ystordai.

Daeth y carchar i feddiant y Cynghor ym 1924 a bu cynlluniau i'w addasu nes penderfynu ar adeilad newydd. Yna ataliwyd dechrau ar y gwaith hyd 1939 gan yr angen i ddymchwel y carchar. Amharwyd ar y gwaith adeiladu gan yr Ail Ryfel Byd ac ni chafwyd yr agoriad swyddogol tan 1956. Roedd portico mynedfa carchar Nash, a gadwyd ym 1868 ac a oedd yn nodwedd mor amlwg o'r dref, wedi ei ddatgysylltu'n ofalus er mwyn ei ail-godi, ond collwyd y cerrig, gwaetha'r modd, yn ystod dryswch blynyddoedd y rhyfel.

Neuadd y Sir o'r de-orllewin. Mae'n dal yn amlwg iawn ar orwel tref Caerfyrddin
County Hall from the southwest. It still dominates the Carmarthen skyline

County Hall

County Hall is the HQ of Carmarthenshire County Council. It was designed in the 1930s by Sir Percy Thomas, who was also responsible for the acclaimed Swansea Guildhall, the Temple of Peace and Health in Cardiff, and a large part of Aberystwyth University Campus.

A surprising building - a French chateau, soaring above the River Tywi and bridge - it is one of the most distinctive mid 20th century public buildings in Wales, and is Grade II listed. It has been the subject of numerous pictures and postcards. Its austere grey stone walls are lightened by white stone from Portland in Dorset and by the large rectangular windows, of which there are a total of 100. The steep roofs are in grey-green slate from Pembrokeshire, and above them rise four massive chimney-stacks on Portland stone plinths. The main entrance, also in Portland stone, features sculpted reliefs showing the building's various functions including education and taxation. Some of the gaol cells are said to survive, used as store-rooms.

The council acquired the gaol site in 1924 and there were plans to convert it until the decision for a new building was made. The start was then held up until 1939 by demolition work on the gaol. The Second World War interrupted building work and the official opening was not until 1956. The entrance portico of the Nash Gaol, which had been retained in 1868 and was such a distinctive feature of the town, had been carefully dismantled for re-erection, but during the confusion of the war years the stones were unfortunately lost.

Peter Goodall 2005
The Black Flag over Carmarthen: over three centuries of barbarism, crime, murder, punishment and executions
Gwasg Carreg Gwalch, Llanrwst

Gwilym Hughes 2006
Caerfyrddin: Tref Hynaf Cymru,
Archeoleg Cambria

Richard Ireland (yn y wasg)
'A want of good order and discipline': rules, discretion and the Victorian prison
Gwasg Prifysgol Cymru, Caerdydd

Terrence James 1980
Carmarthen: an archaeological and topographical survey
Cyfres Fonograff Cymdeithas Hynafiaethol Sir Gaerfyrddin Rhif 2

John Lloyd 1935
A History of Carmarthenshire
Caerdydd

Joyce and Victor Lodwick 1994
The story of Carmarthen (argraffiad newydd),
Gwasg San Pedr, Caerfyrddin

Neil Ludlow (ar fin ymddangos)
Castell Caerfyrddin

William Spurrell 1879
Carmarthen and its Neighbourhood
Gwasanaethau Diwylliannol Sir Gaerfyrddin

Richard Suggett 1995
John Nash, architect in Wales
CBHC/LLGC, Aberystwyth

Peter Goodall 2005
The Black Flag over Carmarthen: over three centuries of barbarism, crime, murder, punishment and executions
Gwasg Carreg Gwalch, Llanrwst

Gwilym Hughes 2006
Carmarthen: the oldest town in Wales
Cambria Archaeology

Richard Ireland (in press)
'A want of good order and discipline': rules, discretion and the Victorian prison
University of Wales Press, Cardiff

Terrence James 1980
Carmarthen: an archaeological and topographical survey
Carmarthenshire Antiquarian Society Monograph Series No. 2

John Lloyd 1935
A History of Carmarthenshire
Cardiff

Joyce and Victor Lodwick 1994
The story of Carmarthen (new edition)
St Peter's Press, Carmarthen

Neil Ludlow (forthcoming)
Carmarthen Castle

William Spurrell 1879
Carmarthen and its Neighbourhood
Carmarthenshire Cultural Services

Richard Suggett 1995
John Nash, architect in Wales
RCAHMW/NLW, Aberystwyth

Cyferbyn: Castell Caerfyrddin o'r de, gan y Parch. E. Edwards, 1829, sy'n dangos olion y castell, carchar John Nash, a'r hen bont yn y cefndir (trwy ganiatâd Llyfrgell Genedlaethol Cymru)

Y clawr cefn: Portico mynedfa Carchar Caerfyrddin, a gynlluniwyd gan John Nash, cyn ei ddymchwel yn y 1930au

Opposite: Carmarthen Castle from the south, by Rev. E. Edwards, 1829, showing the castle remains, John Nash's gaol, and the old bridge in the foreground (by permission of the National Library of Wales)

Back cover: The entrance portico of Carmarthen Gaol, designed by John Nash, before its demolition in the 1930s